*Chère lectrice,*

Voici venu le mois ~~~~ que l'heure de la rentrée ~~scolaire a sonné et que~~ ~~~~ de l'été approche à grands pas, j'ai sélectionné pour vous des romans Horizon qui vous permettront, je l'espère, de garder le sourire et de vous évader !

Dans *Une nouvelle vie pour Laurel* (n° 2181), vous ferez la connaissance d'une jeune femme très attachante, qui comprend dès le premier regard qu'elle éprouve des sentiments bien trop troublants pour l'homme qui vient de l'embaucher… Haley, elle, a emménagé dans une nouvelle maison, et croit tous ses problèmes enfin résolus. C'est sans compter sur son nouveau voisin, un pompier au corps de rêve… (*Une famille idéale*, n° 2182). Rachel, pour sa part, se retrouve subitement responsable de sa nièce, un bébé âgé de quelques jours à peine. Heureusement, Cole, l'un de ses employés, est à ses côtés pour la rassurer, et l'aider à apprendre les premiers gestes du quotidien… (*Le cadeau du bonheur*, n° 2183). Enfin, vous découvrirez comment Carter va abandonner sa vie dissolue par amour pour sa voisine, la belle Daphné (*Le play-boy amoureux*, n° 2184).

Excellente lecture,

*La responsable de collection*

Le cadeau du bonheur

*

Une fiancée en fuite

PATRICIA THAYER

# Le cadeau du bonheur

COLLECTION HORIZON

*éditions*Harlequin

*Cet ouvrage a été publié en langue anglaise sous le titre :*
THE RANCHER'S DOORSTEP BABY

*Traduction française de*
ADELINE MAGNE


HARLEQUIN®

est une marque déposée du Groupe Harlequin
et Horizon® est une marque déposée d'Harlequin S.A.


*Photo de couverture*
*Bébé :* © ROYALTY FREE / FOTOLIA

*Toute représentation ou reproduction, par quelque procédé que ce soit, constituerait une contrefaçon sanctionnée par les articles 425 et suivants du Code pénal.*
© 2007, Particia Wright. © 2008, Traduction française : Harlequin S.A.
83-85, boulevard Vincent-Auriol, 75013 PARIS — Tél. : 01 42 16 63 63
Service Lectrices — Tél. : 01 45 82 47 47
ISBN 978-2-2808-4530-4 — ISSN 0993-4456

# 1.

D'un geste ample, Cole Parrish étala de la litière fraîche dans l'écurie. Un cheval gris hennit doucement.

— Mon vieux, il va bientôt falloir se dire adieu, murmura-t-il en flattant l'animal d'une caresse affectueuse.

Oui, il était temps de partir. Cela faisait maintenant quatre mois qu'il travaillait au ranch de Rachel Hewitt. Jamais il n'était resté aussi longtemps au même endroit. Indépendant, taciturne, Cole aimait sa liberté, malgré la solitude à laquelle elle le condamnait. A vrai dire, il serait déjà parti si Cy Park, le vieux contremaître de l'exploitation, n'avait pas été victime d'une crise cardiaque. Mais Cy allait bientôt revenir de convalescence et les travaux d'été étaient achevés. On n'avait plus besoin de lui ici. Et puis, à rester davantage, il redoutait d'amasser trop de souvenirs. Trop de regrets.

Dès aujourd'hui, il allait donner son congé à Rachel. Il ne pouvait pas la laisser plus longtemps dans l'ignorance de ses intentions. D'ailleurs, autant le faire maintenant. Il planta sa fourche dans un tas de foin et se dirigea d'un pas décidé vers le bâtiment principal, une antique maison à bardeaux dont la façade aurait mérité un sérieux coup de pinceau : l'affaire d'une ou deux semaines, au plus.

Il secoua la tête. Non. Ce n'était pas son problème.

Comme il gagnait la maison, Rachel sortit sous le porche à sa rencontre et s'appuya sur un pilier. Aussitôt, il sentit son cœur se serrer. Grande, belle, elle avait un je-ne-sais-quoi de fragile qui l'avait toujours ému. Et cela malgré les tenues d'homme qu'elle revêtait pour le travail, et ses coiffures simples et sévères, qui dégageaient l'ovale parfait de son visage.

Elle avait l'air tellement fatiguée… Mais évidemment, dans un ranch, les occasions de se reposer étaient rares, surtout pour une femme seule. D'un autre côté, il avait entendu dire que, du vivant de son père, Rachel s'acquittait déjà des travaux les plus pénibles. D'ailleurs, il se demandait bien pourquoi Gib Hewitt avait refusé qu'elle hérite du ranch avant l'anniversaire de ses trente ans. Enfin, cela ne le regardait pas.

— Rachel, auriez-vous une minute ? Il faudrait que je vous parle.

— Oui ?

La jeune femme sourit sans pouvoir dissimuler sa fatigue. Cole prit une profonde inspiration.

— Je vous donne mon congé. Je pars dans une semaine.

Il leva les yeux et vit passer sur son visage une surprise affolée qu'elle parvint à masquer aussitôt.

— Comment cela ? Vous m'avez pourtant dit que vous consentiez à prolonger votre séjour. Vous savez très bien que Cy est encore incapable de reprendre son travail.

— Je ne vous conseille pas de le lui dire en face, remarqua Cole avec un sourire. Maintenant que le marquage des bêtes est terminé, vous devriez avoir moins de travail. Cy n'a pas besoin de moi pour nourrir le bétail. Cela devrait vous laisser le temps de me trouver un remplaçant.

**
* *

Un remplaçant ? Rachel n'avait pas envie d'en trouver un, et pas les moyens non plus. A vrai dire, elle n'était même pas sûre de pouvoir continuer à rémunérer Cole. Pourtant, son départ serait pour elle une calamité. C'était un cow-boy hors pair. Elle ignorait tout de lui, mais elle lui faisait confiance, instinctivement. Lorsque Cy avait eu son malaise, c'est Cole qui lui avait prodigué les premiers soins jusqu'à l'arrivée des secours. Il lui avait sauvé la vie.

— Vous savez très bien que je ne vous trouverai pas de remplaçant à cette période de l'année. La plupart des cow-boys sont déjà partis se louer dans des ranchs plus importants autour de San Angelo.

— Oui, je le sais. C'est d'ailleurs là que je vais, moi aussi.

— Ecoutez, si c'est une question d'argent…

Il l'interrompit d'un signe négatif de la tête.

— Vous n'y êtes pas, Rachel. J'ai juste besoin d'un changement de décor. Si cela peut vous arranger, je reste jusqu'à la fin de la semaine pour vous aider à trouver un remplaçant.

Elle le considéra. Après tout, il devait avoir ses raisons. Cole Parrish était un homme discret, mystérieux. Dans ses yeux gris, elle lisait parfois une tristesse qui lui nouait le cœur. Elle n'avait pas à insister.

— Merci, Cole. Cela m'aiderait beaucoup, en effet.

Il porta le doigt à son chapeau en signe de remerciement et regagna la grange. Rachel se surprit à le suivre d'un regard appréciateur. Une veste de cuir moulait ses épaules imposantes et mettait en valeur sa silhouette athlétique. Il avait cette démarche chaloupée, tellement arrogante et sexy des cow-boys, une virilité puissante, naturelle, à laquelle elle avait tout de suite été sensible. L'eût-il su, son père l'aurait à coup sûr semoncée…

Elle soupira et retourna à la maison. Elle avait aimé son père, mais lui avait souvent reproché en secret sa sévérité. En patriarche inflexible, il n'avait jamais permis le moindre écart à ses deux filles. Combien de fois les avait-il sermonnées sur le monde et ses dangers ! Bien qu'il ne l'ait jamais avoué, il redoutait de les voir suivre le chemin de leur mère, qui avait abandonné le domicile conjugal alors que Rachel avait dix ans et sa sœur Sarah, cinq. Sans doute aurait-il mieux valu qu'il relâche parfois la bride. Sarah n'aurait peut-être pas éprouvé le besoin de fuir.

A quoi bon regretter ? Le passé était ce qu'il était. Son père était mort, et sa sœur, perdue de vue. Elle-même était seule au monde. Seule et bientôt à la tête d'un ranch.

A l'heure du dîner, lorsque Cole rentra de son travail, Rachel, qui s'affairait dans la cuisine, se retourna et lui sourit comme tous les autres soirs. L'ayant saluée d'un bref hochement de tête, il prit place à table, devant l'un des trois couverts qui avaient été dressés.

— Cole, dit-elle tandis qu'il s'asseyait, je tenais à vous remercier pour toute l'aide que vous nous avez apportée ces derniers mois. J'ai eu tort, tout à l'heure, de vous demander de rester. Vous avez déjà fait beaucoup pour nous.

— Vous n'avez pas à vous excuser. Je n'ai fait que mon travail. Si vous avez besoin de quelque chose avant mon départ, n'hésitez pas à m'en parler.

Leurs yeux se rencontrèrent et, de nouveau, il ressentit cet étrange pincement au cœur. Le regard voilé, la jeune femme rougit. Un silence pesant tomba, figé par un sentiment qu'ils n'osaient s'avouer : le désir. Un désir réciproque, irrésistible.

Un claquement de porte offrit une diversion bienvenue. L'instant d'après, Cy entrait dans la cuisine et allait s'asseoir en rajustant son pantalon, qui avait un peu glissé : depuis son accident, sur les conseils de son médecin, il s'était astreint à un régime et avait beaucoup maigri.

— Eh bien, on dirait que je ne suis pas en retard.

— Vous, en retard pour un repas ? murmura Cole.

Sur ces paroles peu amènes, il alla sortir une bouteille d'eau du réfrigérateur et remplit les verres tandis que Rachel déposait sur la table un poulet rôti accompagné de purée et de haricots verts.

— Ma chérie, tu es une vraie petite fée de la cuisine, décréta le vieil homme en se servant.

— Oncle Cy, tu dis cela tous les soirs.

— C'est vrai, mais à la vérité, je ne regrette pas tes cuisses de poulet frit à la mélasse.

— J'essaierai de trouver une recette plus saine, promit-elle avec un sourire.

— Merci, ma chérie. N'est-ce pas qu'elle nous gâte, Cole ?

Celui-ci hocha la tête en silence.

— Allons, Cy, nous travaillons tous dur, ici, dit Rachel.

— Cole et moi recevons un salaire pour ce que nous faisons. Toi, tu en fais toujours plus qu'on ne t'en demande. Tu n'es pas obligée de laver mon linge ou de le repriser, tu sais.

— Ce n'est rien. J'aime coudre.

— Je sais. Tu es connue dans tout le comté pour tes kilts. Tu devrais les vendre à San Angelo, tu en tirerais un bon prix.

La jeune femme secoua la tête.

— Je préfère en faire don à l'église.

— Et c'est l'église qui les vend, poursuivit Cy en fronçant les sourcils. Nous avons besoin d'argent, Rachel. Toi, surtout.

Après quelques secondes de silence, il ajouta :

— Rachel, je te connais depuis le berceau. Je sais que ton père n'a pas toujours été juste avec toi.

Cole vit que la jeune femme rougissait.

— Papa avait des problèmes de santé et…

— Non, non, non, la coupa Cy en secouant la tête. Cesse donc de l'excuser. Il t'a lié les poings. A cause de lui, tu ne peux rien faire pour le ranch sans en parler au préalable à ce satané avocat. Dieu merci, cette comédie va bientôt se terminer, ajouta-t-il en prenant une bouchée rageuse de poulet.

— Je ne veux pas parler de tout cela, répondit Rachel.

Elle s'interrompit et se leva.

— Je vous prie de m'excuser, fit-elle avant de sortir.

Cole eut envie de la suivre, mais il se retint. Que pouvait-il lui dire ? Lui aussi avait grandi dans l'ombre d'un père autoritaire, éternellement insatisfait. Au bout du compte, il avait abandonné tout effort de lui plaire.

— Toi, ce n'est pas la peine de me regarder comme cela, dit Cy.

— Que voulez-vous dire ?

— Tu le sais très bien. Cela va bientôt faire deux ans que son père est mort et Rachel a toujours peur de vivre sa vie. Tout ça parce que cet idiot lui a mis dans la tête qu'il est honteux d'être une femme. Mais Rachel est belle, et jeune. Elle a besoin qu'un homme s'en aperçoive.

— Vous dramatisez, Cy. Rachel s'en sort très bien.

Il termina son assiette et la porta à l'évier.

— Tu dis cela pour ne pas avoir à te faire des reproches lorsque tu t'en iras, remarqua le vieil homme.

Cole se figea.

— J'ai été engagé pour le marquage des bêtes, c'est tout. J'aurais pu partir plus tôt.

— Je sais, et je te suis reconnaissant de t'être chargé de mon travail pendant ma convalescence.

— Vous n'avez pas à me remercier. C'était tout naturel, mais maintenant, j'ai un travail qui m'attend à San Angelo.

Le vieil homme ne répondit pas. Il termina son repas et porta à son tour son assiette à l'évier, puis, appuyé contre le mur, il observa Cole.

— Ça va, j'ai compris, dit celui-ci avec rudesse. Vous voulez absolument me donner mauvaise conscience.

— Non. C'est à toi de voir si tu veux partir ou rester.

Cy s'interrompit et se mordit la lèvre avant de reprendre :

— Je me demande seulement ce que tu peux bien essayer de fuir.

\*\*

16

Revêtue de sa chemise de nuit, Rachel s'aspergea le visage d'eau froide pour se calmer. A quoi bon pleurer ? Elle ne pouvait compter que sur elle-même. Du courage, elle en avait à revendre. Elle l'avait prouvé lors de la maladie de son père et tout au long de ces deux dernières années.

Brusquement, elle se souvint qu'elle avait oublié de faire la vaisselle. Drapée dans une robe de chambre, elle descendit l'escalier et traversa un grand salon au parquet reluisant recouvert d'un tapis élimé. Elle se figea en entendant du bruit dans la cuisine. Poussant doucement la porte, elle aperçut Cole, les manches relevées jusqu'aux coudes, affairé devant l'évier. *Il faisait la vaisselle ?* Prise de timidité, elle eut envie de rebrousser chemin, mais avant qu'elle eût pu esquisser un mouvement, Cole regarda par-dessus son épaule et la vit. Pendant un instant, leurs regards s'accrochèrent, se mêlèrent. Enfin, il inclina la tête et ses cheveux d'un noir de jais tombèrent sur ses yeux.

— Eh bien, ne restez donc pas plantée là, prenez une serviette.

Elle s'approcha de lui, surprise qu'il ne s'écarte pas.

— Vous n'êtes pas obligé de faire la vaisselle.

— Ça m'occupe. Ces couverts sont rincés, vous pouvez les essuyer.

— Mais ce n'est pas votre travail, insista-t-elle.

— Pourquoi ? demanda-t-il avec un regard acéré. Après tout, vous aussi, vous m'avez aidé, pour le marquage des bêtes. Allez, prenez un torchon.

La jeune femme s'exécuta à contrecœur.

— Cole, je suis désolée pour tout à l'heure. Ce qu'a dit Cy partait d'un bon sentiment.

Il plongea un plat dans l'évier et haussa les épaules.

— Je n'ai rien à dire de tout cela. Ce ne sont pas mes affaires.

— Tout de même, je vous prie de m'excuser d'avoir quitté la table.

— Il n'y a vraiment pas de quoi. Cy vous considère presque comme sa fille. Il ne faut pas s'étonner qu'il se fasse tellement de souci pour vous. Votre métier est pénible, surtout pour une femme.

Rachel leva le menton avec fierté.

— Jusqu'ici, je m'en suis toujours sortie.

— Dans votre famille, quelqu'un pourrait-il vous aider ? demanda Cole en rinçant un verre.

La jeune femme secoua négativement la tête.

— Mon père n'avait pas de famille.

Donc, elle était seule au monde... Seule avec Cy, et cette sœur dont elle était sans nouvelles depuis tant d'années. Cole sentit son cœur se serrer. Il soupira. Décidément, cette femme remuait en lui des sentiments dangereux. Elle le rendait vulnérable.

— Si vous voulez, je peux vous trouver quelqu'un pour vous aider à diriger ce ranch.

— C'est inutile, je n'aurais pas de quoi le payer. Mon père ne m'a pas laissé beaucoup d'argent. Heureusement, les veaux de printemps se sont bien vendus, et je n'ai plus à me soucier des remboursements pour la maison.

Cole savait qu'un avocat du nom de Lloyd Montgomery avait autorité sur les finances de l'exploitation. Comme si un ranch pouvait se diriger à partir d'un bureau... Heureusement, Rachel allait bientôt avoir trente ans, et pourrait alors récupérer les rênes de l'exploitation.

Il se retourna vers la jeune femme en s'essuyant les mains.

— Il existe d'autres manières de tirer parti de votre ranch. Vous pourriez en faire un territoire de chasse, par exemple. Cela pourrait vous rapporter plusieurs milliers de dollars à l'année.

Rachel hocha la tête avec lassitude.

— Papa n'a jamais voulu partager les rênes du ranch avec moi. D'ailleurs, comme vous le savez, je n'ai aucun pouvoir de décision… enfin, pas encore. Dans quelques semaines, je vais enfin hériter. Ces derniers temps, j'ai beaucoup réfléchi à ce que je pouvais faire de ce ranch. Lloyd Montgomery, lui, pense que je devrais tout bonnement le vendre.

— Le vendre ? répéta Cole avec un froncement de sourcils. Mais pourquoi ?

— Il ne m'estime pas capable de m'en occuper toute seule.

— Mais pourtant, c'est ce que vous faites depuis deux ans !

Le visage de Rachel s'illumina d'un sourire et ses yeux couleur noisette s'illuminèrent de paillettes dorées.

— Il faut que je trouve un moyen de compléter mes revenus, sinon, je ne vais pas m'en sortir. Il y a quelque temps, en faisant le ménage dans le bureau de papa, j'ai trouvé un courrier dans sa poubelle, reprit-elle après un silence de quelques secondes. Il provenait d'une société d'énergie éolienne qui cherchait à louer des parcelles.

Elle le regarda avec intensité.

— Pourriez-vous jeter un coup d'œil à cette lettre à l'occasion ?

— Bien sûr. Maintenant, si vous voulez.

— Merci, Cole. Venez.

Elle le mena dans une petite pièce dont un bureau occupait la plus grande place et sortit d'un classeur une enveloppe en papier kraft qu'elle lui tendit. La lettre venait d'Eoliennes 21, une société domiciliée à San Angelo. Elle demandait une autorisation pour installer des éoliennes sur une parcelle rocheuse inapte à la culture ou au pâturage. A part ce courrier, le classeur était vide.

— Votre avocat a-t-il pris contact avec eux ?

Elle secoua la tête.

— Non, je ne crois pas qu'il ait donné suite à cette idée. Mais vous, qu'en pensez-vous ?

— Je pense que vous ne perdriez rien à leur répondre et à étudier leur proposition.

— Donc, leur projet n'a rien d'illégal ?

— Non. Le principe est le même que pour

une concession pétrolière. La société exploitante construit les installations et reverse au propriétaire un pourcentage des profits réalisés. En d'autres termes, vous pourriez gagner de l'argent avec la location de la parcelle et avec l'électricité produite, conclut-il avec un large sourire.

— C'est formidable !

— Oui. Prenez donc contact avec cette société pour leur faire part de votre intérêt. Malgré ce que peut penser votre avocat, vous êtes tout à fait capable de discuter avec...

Il jeta un coup d'œil à l'en-tête du courrier.

— ... Avec ce Douglas Will.

Il lui rendit la lettre. Elle leva vers lui des yeux ambrés, ourlés de longs cils. Dépourvu de maquillage, son visage délicat était marqué de légères taches de rousseur. Cette beauté innocente, sans apprêt, le bouleversa.

— Cole...

Sans réfléchir, il pencha la tête vers elle... non pour l'embrasser, juste pour savourer son parfum, si léger, si naturel, mais plus enivrant que la plus entêtante des fragrances. Il en avait tellement envie, et elle était si près de lui qu'il sentait le souffle de sa respiration précipitée.

Le bruit d'une voiture le ramena à la réalité.

Rachel recula avec un sursaut et se dirigea vers la fenêtre. Cole la suivit du regard, effaré de la folie qu'il avait failli commettre.

— Qui est-ce ? parvint-il enfin à demander.

— Je ne sais pas. Je vais voir, répondit-elle en sortant.

Il la rejoignit sous le porche au moment où deux hommes sortaient d'un véhicule de police.

— Bonsoir, madame, dit l'un d'eux en portant le doigt à son chapeau. Je suis le shérif Clarke, et voici Mike Bentley, des services sociaux. Nous souhaiterions rencontrer Rachel Hewitt.

— C'est moi.

Les deux hommes échangèrent un regard.

— Avez-vous une sœur du nom de Sarah ? reprit le shérif.

Un faible gémissement s'échappa des lèvres de la jeune femme. Aussitôt, Cole s'approcha d'elle.

— Oui, murmura-t-elle d'une voix étranglée.

— Pouvons-nous entrer ? Nous aurions quelques questions à vous poser.

Avec un bref hochement de tête, la jeune femme les guida vers la cuisine.

— Avez-vous vu ma sœur ? Où se trouve-t-elle ? A Fort Stockton ?

— Non. Ces derniers mois, elle habitait à San Antonio.

La porte du fond s'ouvrit brusquement et Cy fit irruption dans la pièce.

— Rachel, il y a une voiture de police…

Il se tut en voyant les deux hommes.

— Cy, ces messieurs viennent au sujet de Sarah. Elle habite à San Antonio.

Le vieil homme lança un regard inquiet à Cole.

— Vraiment ?

— C'est une amie de votre sœur qui nous a permis de retrouver votre trace, intervint l'agent des services sociaux.

— Vous devriez vous asseoir, mademoiselle, dit le shérif.

— Ma sœur a des ennuis ?

Le policier s'éclaircit la voix.

— J'ai le profond regret de vous apprendre que votre sœur est décédée dans un accident de voiture voici trois semaines.

Rachel sentit ses jambes se dérober sous elle. Le bras de Cole se glissa autour de sa taille juste à temps.

— Je vous tiens, murmura-t-il à son oreille. Appuyez-vous sur moi.

Mais elle ne l'entendit pas. Un bourdonnement confus bruissait à ses oreilles. Flageolante, elle se laissa asseoir.

— Ça va, Cole, je vous assure, parvint-elle enfin à articuler. Je vais faire du café, ajouta-t-elle en se levant.

Elle sentit la main de Cole se refermer sur son poignet.

— Pas maintenant, Rachel. Asseyez-vous. Voulez-vous que j'appelle quelqu'un ?

La jeune femme secoua la tête.

— Non, non. S'il vous plaît… est-ce que vous pourriez… rester un peu plus longtemps ?

— Bien sûr.

— Je suis désolé de vous apprendre cette nouvelle aussi brutalement, mademoiselle, dit le shérif, mais votre sœur nous a laissé très peu d'informations sur sa famille. Et il était très important que nous vous retrouvions parce que…

Il s'interrompit et échangea un regard avec l'autre homme.

— Parce que avant de mourir, votre sœur a donné naissance à une petite fille.

# 2.

Sarah, expliqua le shérif, avait perdu le contrôle de son véhicule et s'était écrasée contre un arbre. Enceinte à l'époque de l'accident, elle avait sombré dans le coma et les médecins n'avaient eu d'autre choix que de provoquer l'accouchement, quatre semaines avant terme. D'après l'agent des services sociaux, l'enfant, à présent âgée de un mois, pouvait sortir de couveuse.

Mais Rachel, bouleversée, n'avait entendu aucun de ces détails. *Sarah était morte* : ces paroles ne cessaient de s'entrechoquer dans sa tête en une sarabande folle. Il n'y avait plus d'espoir. Elle ne reverrait plus jamais sa petite sœur, et cela, c'était en partie sa faute. Pourquoi n'avait-elle pas essayé de retrouver sa trace ? Elle aurait dû partir à sa recherche, lui venir en aide, la convaincre de rentrer. Alors, cette catastrophe ne serait sans doute pas arrivée.

En cela, elle portait une part de responsabilité dans l'accident.

Désespérée, elle passa une partie de la nuit à errer d'une pièce à l'autre sans repos. Enfin, au petit matin, au terme d'une nuit sans sommeil, elle s'habilla machinalement d'un pantalon sombre et d'un corsage blanc et remplit une petite valise : elle s'en allait ce matin même rencontrer la fille de Sarah à l'hôpital de San Antonio. Cole avait accepté de l'accompagner.

Malgré l'heure matinale, Cy et Cole l'attendaient déjà dehors. Cole prit la valise et la rangea dans le coffre de son pick-up. La jeune femme se tourna vers Cy.

— Tu es sûr de t'en sortir, avec les bêtes ?

— Mais oui, voyons, se récria le vieil homme en la serrant dans ses bras. Enfin, si cela peut te rassurer, Bud Campbell passe tout à l'heure me donner un coup de main.

Rachel le considéra avec gravité. Elle avait toujours connu Cy. Il avait toujours été un deuxième père pour elle. Il était maintenant la seule famille qui lui restait.

— Ne te fatigue pas, surtout. Je t'ai laissé du poulet dans le frigo, cela t'évitera d'aller manger n'importe quoi au restaurant.

— Mais ne t'inquiète pas pour moi. Tu as bien d'autres soucis en tête, et plus graves. Je te la confie, ajouta-t-il à l'adresse de Cole. Prends bien soin d'elle.

— Pas de souci, répondit celui-ci. Rachel, il est temps de partir.

En effet, la route était longue jusqu'à San Antonio et ils avaient rendez-vous avec l'équipe médicale en début d'après-midi. Après avoir embrassé Cy, la jeune femme rejoignit Cole dans le pick-up.


Les premières heures du voyage se déroulèrent dans un silence monotone, bercé par le ronronnement du moteur.

— Pensez-vous qu'elle a souffert ? demanda tout à coup Rachel.

Surpris, Cole lui jeta un bref regard. La tête appuyée contre la vitre, elle contemplait la route d'un regard absent.

— Je ne pense pas, répondit-il. Le shérif a dit qu'elle était inconsciente lorsque les secours sont arrivés.

Le silence retomba, pesant. Cole ne voulait pas penser à la souffrance de Rachel. Lui aussi avait perdu un être cher, et savait qu'il existe des douleurs dont on ne se remet jamais.

— A une certaine époque, je la détestais, vous savez, reprit-elle.

Elle se tourna vers lui.

— J'étais en colère. Je lui en voulais de m'avoir abandonnée… de ne jamais nous avoir donné de nouvelles. De ne jamais s'être inquiétée de ce que nous devenions, papa et moi.

— Je n'ai pas connu votre sœur, Rachel, mais je suis sûr qu'elle devait avoir ses raisons.

— Voulez-vous les connaître, ses raisons ? Elle détestait le ranch… et papa.

— Il y a souvent des désaccords dans les familles.

Pourtant, il comprenait la rébellion de Sarah. Au dire de précédents employés, Gib Hewitt était un homme dur, cassant. Un véritable tyran.

— Sarah était une adolescente révoltée. On avait parfois l'impression qu'elle cherchait à provoquer papa. Un jour, elle m'a dit qu'elle voulait partir vivre sa vie. Elle a pris de l'argent dans le bureau de papa, ajouta-t-elle en détournant le regard.

Cole lui jeta un coup d'œil.

— Comment a réagi votre père ?

— Il a dit qu'elle était la digne fille de sa mère… une mauvaise femme. Et qu'il ne la reconnaissait plus comme sa fille.

Cole pinça les lèvres.

— Votre père a sans doute été trop sévère, mais votre sœur devait savoir que vous l'aimiez.

— Je voulais qu'elle rentre à la maison, murmura-t-elle d'une voix étranglée. Mais maintenant, c'est trop tard.

— Il n'est pas trop tard pour la fille de votre sœur. Vous pourrez sans doute l'emmener au ranch avec vous.


L'hôpital. Cela faisait deux ans que Cole n'y avait pas mis les pieds. Sitôt la porte franchie, une odeur d'antiseptique l'assaillit, l'étouffa… La même que lorsqu'il avait conduit Jillian aux urgences, deux ans plus tôt. Saisi d'un bref étourdissement, il se mit à trembler de tous ses membres. Il aurait tant donné pour ne pas être confronté à ces souvenirs, à cette culpabilité !

Il soupira. Allons, du courage ! Dans l'état où Rachel se trouvait, il ne pouvait pas lui imposer ses problèmes. Il appuya sur le bouton d'appel de l'ascenseur et jeta un regard vers la jeune femme.

Qu'elle était pâle ! Il lui prit la main et la garda dans la sienne pendant toute la montée.

Arrivés au quatrième étage, ils gagnèrent en silence le bureau d'accueil. Là, une infirmière blonde les dirigea vers une jeune femme occupée à des tâches administratives.

— Madame Nealey ? demanda Rachel.

L'assistante sociale redressa la tête et sourit.

— C'est moi-même. Et vous devez être Rachel Hewitt.

— Comment le savez-vous ?

— J'ai vu une photo de vous dans… dans les affaires de votre sœur.

Les yeux de Rachel s'élargirent.

— Sarah gardait une photo de moi ?

Mme Nealey hocha la tête.

— Vous étiez toutes les deux beaucoup plus jeunes sur la photo, mais c'était bien vous. Je suis sûre que la police vous restituera l'ensemble de ses affaires maintenant que nous vous avons retrouvée.

— Cela faisait plus de huit ans que ma sœur et moi ne nous étions pas vues, murmura la jeune femme.

Involontairement, Cole s'approcha d'elle.

32

— Sarah vivait-elle à San Antonio depuis longtemps ? demanda-t-il.

— Non, depuis quelques mois seulement. Elle louait un meublé et travaillait comme serveuse dans un restaurant de son quartier. La voiture qu'elle conduisait au moment de l'accident était immatriculée au nom d'une amie, Carrie Johnston, absente au moment des faits. Mlle Johnston est revenue cette semaine. C'est elle qui nous a parlé de vous, mademoiselle Hewitt.

— Et le père du bébé ? demanda Rachel. Sarah était-elle mariée ?

— Nous n'avons trouvé aucun certificat de mariage. Selon l'amie de votre sœur, le père de l'enfant ne reconnaît pas sa paternité. Si c'est le cas, vous êtes la seule parente connue de ce bébé.

Une demi-heure plus tard, après avoir réglé plusieurs questions administratives et s'être excusée auprès de Cole, Rachel alla s'isoler un instant dans les toilettes pour dames. Elle se lava longuement les mains, puis s'aspergea le visage d'eau froide et respira profondément.

Sur le chemin de la salle d'attente, elle avisa la

chapelle de l'hôpital et y entra. Pendant quelques instants, elle pria avec recueillement pour sa petite sœur, si belle, si pleine de vie. Enfants, elles étaient inséparables. Rachel avait toujours pris très au sérieux son rôle de grande sœur. C'était elle qui avait élevé Sarah, après l'abandon de leur mère. Et puis, la fillette vive et rieuse s'était transformée en adolescente rebelle, de plus en plus rétive à l'autorité étouffante de leur père. Il n'avait pas su aimer ses filles. Sans doute avait-il eu peur pour elles. Peur de leur féminité. Et Sarah lui avait échappé. Seigneur, quel gâchis… Toutes ces années passées à attendre, à espérer chaque jour. Les paupières mouillées de larmes, Rachel serra les poings.

Allons, à quoi bon se laisser aller aux regrets ? Il fallait faire face à l'irréparable, avec courage. Sarah lui avait laissé une petite fille. Tout n'était pas perdu.

Un soupir tremblant lui échappa. Puis, soudain envahie d'une étrange sérénité, elle se leva et alla rejoindre Cole dans la salle d'attente.

Dès qu'il la vit entrer, celui-ci se leva et la prit dans ses bras. Elle le remercia d'un sourire exténué.

— J'étais à la chapelle. Mme Nealey a-t-elle demandé à me voir ?

— Oui, elle est passée. Elle voulait savoir si vous vouliez voir le bébé.

La jeune femme ouvrit de grands yeux.

— Vraiment ? Mais je croyais qu'elle était encore en unité de néonatalogie.

— Oui, mais vous avez la permission de la voir parce que vous êtes de la famille.

Le visage de Rachel s'illumina d'un sourire.

— Donc, reprit Cole, êtes-vous prête à rencontrer votre nièce ?

— Ah, mademoiselle Hewitt ! dit Beth Nealey, qui venait d'entrer en salle d'attente. Je vous cherchais. Voulez-vous voir votre nièce ?

La jeune femme hocha la tête et suivit l'assistante sociale.

— Le bébé a bien grossi ces quinze derniers jours, raconta cette dernière en chemin. Elle pèse maintenant deux kilos quatre cents. Nous lui donnons tous les jours quatre-vingt-quinze grammes de lait maternisé. Il lui faut bien cela. Elle est gourmande, cette petite ! Bien sûr, les infirmières vous fourniront tous les renseignements dont vous aurez besoin avant que vous ne repartiez chez vous avec la petite.

*Repartir avec la petite ? Déjà ?*

— Si vous saviez à quel point nous sommes tous heureux de vous avoir trouvée. Bien sûr, la petite ne serait pas restée longtemps sans parents d'adoption, mais notre préférence va toujours aux parents de sang. Avez-vous réfléchi à un prénom ?

Rachel ouvrit la bouche, déconcertée.

— Non… J'avoue ne pas y avoir pensé.

— Dans les bagages de votre sœur, nous avons trouvé une couverture pour bébé avec « Hannah Marie » brodé à un angle.

La jeune femme hocha la tête.

— Bien, déclara Mme Nealey. Nous y voilà.

Rachel jeta un coup d'œil à Cole.

— Je vous attends ici.

Elle lui lança un regard de regret, mais n'insista pas. Après s'être lavé les mains, revêtue d'une blouse blanche, elle fut admise dans une salle remplie de couveuses. De l'une d'elles, une infirmière sortit un bébé soigneusement enveloppé et le plaça dans les bras de la jeune femme. Figée, Rachel contempla avec ravissement le petit visage coiffé de fins cheveux noirs, les menottes aux ongles minuscules, parfaits.

L'enfant bâilla et ouvrit les yeux : ils étaient du même bleu profond que ceux de Sarah ! Rachel prit la main du bébé et les tout petits doigts se refermèrent aussitôt autour de son index.

Avec un sourire angélique, elle leva les yeux vers Mme Nealey.

— Je crois avoir trouvé un prénom. J'aimerais qu'elle s'appelle Hannah Sarah… en souvenir de sa mère.

— Il faut que je voie le médecin qui s'occupe de la petite, insista Rachel au sortir de l'unité de néonatalogie.

— Patientez jusqu'à demain, conseilla Cole en appuyant sur le bouton de l'ascenseur. Je sais que vous voulez profiter du bébé, mais vous avez besoin de repos. S'occuper d'un nouveau-né, c'est un travail énorme. Tout à l'heure, vous donnerez au docteur votre numéro de portable. En attendant, allons manger.

Un hôtel en face de l'hôpital faisait également restaurant. Au terme d'un léger repas, ils se dirigèrent en silence vers la chambre qu'avait retenue Cole.

— C'est la première fois que je couche à

l'hôtel, remarqua Rachel. Papa était tellement près de son argent…

— Ce n'est pourtant pas un palace, dit Cole en ouvrant la porte.

En effet, la chambre n'était guère luxueuse : un lit double, une armoire et une commode surmontée d'une télévision composaient tout le mobilier. Toutefois, l'ensemble était confortable et d'une propreté impeccable.

— Oh, mais c'est très bien, dit la jeune femme en balayant la pièce du regard et en ouvrant la porte d'une petite salle de bains.

— Vous serez à votre aise, ici. Si vous avez besoin de quelque chose, je suis dans la chambre à côté. N'hésitez pas à m'appeler.

Prise d'une soudaine timidité, Rachel le regarda se diriger vers la porte.

— Cole !…

Il se retourna.

— Je voulais vous dire, bafouilla-t-elle en rougissant… Enfin… je tenais à vous remercier pour toute votre aide… Pour le voyage, l'hôtel… Je vous rembourserai tout cela.

— Il n'y a pas de problème, Rachel. Essayez de vous reposer un peu, dit-il avant de refermer la porte derrière lui.

— Vous aussi, murmura-t-elle.

De nouveau, elle regarda autour d'elle. Le silence et la solitude de la petite chambre l'oppressèrent. Exténuée, elle se jeta sur son lit et fondit en larmes.

Seul dans sa chambre, Cole se laissa tomber sur un siège, se releva aussitôt, alluma la télévision et fit distraitement défiler les chaînes. Il était sur des charbons ardents. Voilà ce qu'il en coûtait de raviver de vieilles blessures.

Incapable de tenir en place, il se dévêtit et entra sous la douche sans même attendre que l'eau se réchauffe. La tête sous le jet glacé, il lutta contre les souvenirs, contre les émotions qui menaçaient de l'engloutir et ravala ses larmes. Il ne pouvait pas oublier. Ç'aurait été une trahison envers Jillian, envers la mémoire de leur fils.

Après s'être rincé et essuyé rapidement, il revêtit un jean propre et alla s'asseoir devant la télévision. La télécommande se trouvait à côté de son portefeuille, sur une petite table parsemée de pièces de monnaie. Au milieu brillait une petite médaille qu'il prit et fit jouer entre ses doigts. Une douleur familière lui serra le cœur.

Ce médaillon aurait dû décorer le berceau de son fils. Pourquoi le gardait-il, si ce n'est par un besoin malsain de se faire souffrir ?

Des pleurs étouffés le tirèrent de ses pensées. *Rachel...* Il se retint d'aller la voir : elle avait besoin de solitude pour épancher son chagrin. Installé devant un film, il ne tarda pas à s'endormir.

Des gémissements le réveillèrent. Inquiet, il alla frapper à la porte de Rachel : pas de réponse. Il poussa doucement la porte et la vit allongée sur le lit, vêtue d'une courte chemise de nuit qui laissait dénudées ses longues jambes. Traversé par un élan de désir, il se contraignit à détourner le regard.

Les cheveux étalés sur l'oreiller, la jeune femme se débattait dans son sommeil. Cole alla s'asseoir au bord du lit et tendit la main vers elle.

— Rachel.

Comme elle ne répondait pas, il posa la main sur son épaule. Elle se redressa en sursautant.

— Cole ? murmura-t-elle d'une voix sourde.

Elle le regarda avec une tristesse qui lui serra le cœur. A cet instant, il aurait donné tout au monde pour pouvoir soulager son chagrin.

— Vous faisiez un cauchemar.

Elle repoussa ses cheveux d'une main lasse.

— Je rêvais que Sarah revenait à la maison. Elle était enceinte et papa lui disait de partir. Elle s'en allait, et moi, je lui courais après en la suppliant de ne pas me quitter.

Elle s'interrompit, les lèvres tremblantes.

— Je n'arrive pas à me faire à l'idée qu'elle est partie. Que je ne la reverrai plus jamais. J'avais tellement espéré son retour !

— Rachel, votre sœur avait choisi de s'en aller. Vous-même avez fait un autre choix. Vous ne pouvez pas passer le reste de votre vie à vous punir de quelque chose qui échappe à votre volonté.

Elle eut un soupir tremblant.

— J'aurais dû partir à sa recherche. L'aider.

— Personne ne peut changer le passé. Ne laissez pas les regrets vous détruire.

— Je ne pourrai jamais lui dire à quel point je l'aimais, dit-elle dans un sanglot étranglé.

Bouleversé, Cole l'attira dans ses bras et effleura ses cheveux d'un baiser.

— Chut, murmura-t-il, tout en caressant son dos.

Les sanglots s'apaisèrent. D'une main douce,

Cole repoussa les cheveux de son visage mouillé de larmes.

— Je ne vous ai pas tout dit. Lorsque Sarah m'a appris qu'elle voulait partir, j'ai été odieuse avec elle. J'étais jalouse d'elle, de tout ce qu'elle était : belle, séduisante. A côté d'elle, j'avais l'air tellement quelconque ! Elle avait tout pour elle, et elle voulait me laisser seule avec papa.

— Rachel, je sais que vous êtes incapable de méchanceté et je vous interdis de dire que vous êtes quelconque.

Elle leva vers lui de grands yeux étonnés. Mû par un élan irrépressible, il se pencha vers elle et effleura ses lèvres d'un baiser chaste et consolateur. Avec un léger soupir, elle posa une main sur sa poitrine en une caresse légère qui lui brûla la peau et lui donna des frissons. Il la pressa contre lui et approfondit son baiser, savourant avec délices la douceur de ses lèvres. Cela faisait tellement longtemps qu'il n'avait pas savouré le plaisir d'un contact charnel !

Il l'entendit gémir et se figea.

— Cole, murmura-t-elle, les yeux embués de désir.

Secoué par un frisson violent, il s'écarta et détourna le regard.

— Je suis désolé. Je ne sais pas ce qui m'a pris… Vraiment. Excusez-moi.

Il voulut se lever, mais elle le retint.

— Je vous en prie, ne me laissez pas toute seule.

*Quoi ? Seigneur, qu'exigeait-elle de lui ? Pourtant, il ne pouvait pas l'abandonner à sa solitude, à ses peurs…*

Sans un mot, il remonta sa couverture et, s'allongeant à côté d'elle, il l'enveloppa d'un bras protecteur. Au bout d'un moment, il la sentit s'affaisser contre lui : elle s'était rendormie. Il sourit et, doucement, s'écarta, mais elle se réveilla en sursaut.

— S'il vous plaît, ne partez pas. Pas tout de suite.

Il réprima un soupir.

— Bien. Comme vous voudrez.

Elle se blottit contre lui, les mains sur son torse, la tête nichée au creux de son épaule. Cole s'efforça de se détendre. Enfin, engourdi par la somnolence, il la rejoignit dans le sommeil, songeant confusément qu'ensemble, peut-être, réunis dans cette étreinte chaste, ils trouveraient un semblant de paix…

# 3.

Rachel s'éveilla lentement, en proie à un violent mal de tête. Petit à petit, les souvenirs de la veille lui revinrent à l'esprit : la mort de Sarah… le voyage à San Antonio… sa nièce… le baiser de Cole… Elle cligna des yeux, et tourna la tête.

Le bras enroulé autour d'elle, Cole dormait paisiblement, d'un souffle égal et léger qui lui chatouillait la joue. Aussitôt, le cœur de la jeune femme se mit à battre la chamade. Elle ferma les yeux et se contraignit à rester immobile. Pendant un instant, elle écouta le doux ronflement de Cole.

Jamais elle ne s'était réveillée aux côtés d'un homme. Un instant, elle s'abandonna à la douceur de cette intimité, dans la quiétude du petit matin. Au cours de sa vie solitaire, elle avait souvent rêvé de connaître quelqu'un comme

Cole Parrish, beau, sérieux, indépendant. Elle aurait aimé qu'il s'intéresse à elle, à défaut de l'aimer. Mais autant se rendre à l'évidence : elle n'était pas son genre.

Avec un soupir, elle s'arracha à son étreinte et, tout doucement, glissa vers le bord du lit. Cole murmura dans son sommeil et la serra contre lui. Rachel se figea, traversée par une onde brûlante. Mais voilà qu'il glissait la main sur son ventre, vers ses hanches, vers sa poitrine… Elle ferma les yeux, éperdue. Seigneur, cela ne pouvait pas continuer… Prenant une profonde inspiration, elle souleva le bras de Cole et se redressa précautionneusement.

— Cole…

— Hein ?

Il s'assit d'un bond et se frotta les yeux.

— Rachel ? Oh, Seigneur…

Il bondit hors du lit comme s'il avait pris feu.

— Ne me dites pas que nous avons fait quoi que ce soit de…

— Non, s'empressa-t-elle de dire. Rassurez-vous, il ne s'est rien passé.

Il poussa un profond soupir de soulagement.

— Je ne sais comment me faire pardonner…
Je comptais m'en aller une fois que vous seriez
endormie, mais j'ai dû m'assoupir.

— Je crois que nous étions très fatigués, tous
les deux, observa-t-elle, triste et vaguement
déçue de ces justifications.

Involontairement, son regard glissa sur les
larges épaules de Cole, sur son torse musculeux,
parsemé d'une toison sombre qui coulait en un
mince filet sur son ventre plat et disparaissait
sous son jean. Elle releva vite les yeux vers son
visage.

— Tout de même, disait-il en parcourant la pièce
de long en large, j'ai profité de la situation.

— Mais non. S'il vous plaît, parlons d'autre
chose, voulez-vous ? Nous devrions nous
préparer pour aller à l'hôpital, ajouta-t-elle en
se levant.

— Oui, vous avez raison. Je serai prêt dans
un quart d'heure, dit-il.

Elle détourna le regard.

— Il me faudra un peu plus de temps. J'ai
besoin de prendre une douche.

— Pas de problème. Frappez à ma porte lorsque
vous serez prête. Nous partirons à l'hôpital après
le petit déjeuner.

Une fois la porte refermée derrière lui, Rachel poussa un long soupir. Cole l'avait embrassée… Ils avaient partagé le même lit… Comment pourraient-ils se voir sans repenser à ce qui avait été… à ce qui aurait pu être ?

Aucun homme avant lui ne l'avait jamais embrassée. Si : Billy Michaels. Un gamin : ils avaient tous les deux treize ans. Rachel n'avait connu aucun flirt de jeunesse, son père ayant toujours mis le holà face à ce qu'il appelait de « mauvaises fréquentations ». Plus tard, son travail au ranch ne lui avait guère laissé le temps de songer aux hommes.

Mais Cole Parrish n'était pas n'importe quel homme. Dès son arrivée au ranch, elle avait ressenti pour lui quelque chose de fort, qu'elle n'avait jamais éprouvé pour personne. D'un regard, d'une inflexion de voix, il faisait vibrer en elle une corde inconnue. Il l'éveillait à elle-même, à la vie.

Elle secoua la tête et se dirigea vers la salle de bains. Elle ne devait pas se laisser distraire de ses responsabilités envers Hannah, envers le ranch. Il n'y avait pas de place pour un homme dans sa vie. Du moins, pas pour l'instant.

— Voilà, très bien. Gardez la main sous sa tête, comme cela, dit l'infirmière en déposant Hannah dans les bras de sa tante.

— Mon Dieu, elle est si petite.

— Oh, ils prennent vite du poids. Votre nièce a déjà bu un biberon ce matin, et je crois qu'elle ne va pas tarder à en réclamer un autre. Venez, asseyez-vous, dit-elle en dirigeant Rachel vers une berceuse.

La jeune femme obtempéra non sans nervosité.

— Mais si ?…

— Ne vous inquiétez pas. Les bébés ne sont pas faits en sucre, et celle-ci encore moins que les autres. D'ailleurs, nous l'avons surnommée « championne ».

— Eh bien, j'espère que vous ne verrez pas d'inconvénients à ce que je l'appelle Hannah.

Elle approcha précautionneusement la tétine de la petite bouche en bouton de rose du bébé.

— Elle boit, souffla-t-elle, émerveillée.

— J'espère bien, dit l'infirmière en souriant. Tenez, reprit-elle, une fois le biberon terminé, je vais vous montrer comment lui faire faire son rot. Voilà. Eh bien, vous voyez, vous ne vous en tirez pas si mal ! Parfait. Puisque vous n'avez plus besoin de moi, je vais vous laisser toutes les deux. Au fait, dit-elle avant de partir, votre mari peut entrer, s'il le désire. Il lui faut simplement revêtir une blouse.

Rachel jeta un regard vers Cole, de l'autre côté de la paroi vitrée de l'unité de néonatalogie.

— Oh, nous ne sommes pas mariés. Il travaille dans mon ranch.

— Vraiment ? Il a pourtant l'air bien attentif.

Immobile, Cole contemplait, fasciné, les petits êtres vagissants dans les couveuses. La ténacité avec laquelle ils s'accrochaient à la vie le bouleversait. Nathan, lui, n'avait pas eu leur chance : il n'avait pas survécu à sa naissance.

Un long soupir lui échappa.

— S'il vous plaît, mademoiselle, demanda-t-il à une infirmière, pouvez-vous dire à Rachel Hewitt que je serai de retour dans une heure ?

Un peu d'air frais lui ferait du bien. Il avait besoin de se changer les idées. De soulager son cœur d'une douleur qu'il ne parviendrait jamais à étouffer complètement.

\*\*

Rachel ne s'étonna pas de l'absence de Cole. Le pauvre venait de passer deux jours à l'attendre dans un hôpital, il avait bien le droit de s'aérer un peu. Et puis, elle ne pourrait pas toujours compter sur lui, songea-t-elle avec amertume. Dans une semaine, il lui faudrait se débrouiller toute seule, avec le ranch et avec Hannah. Un élan de panique la submergea à cette idée.

Un coup à la porte la fit tressaillir : Mike Bentley, l'employé des services sociaux, venait lui apporter les effets personnels de Sarah et lui faire signer d'autres papiers. Peu de temps après, Beth Nealey l'invita à déjeuner avec elle à la cafétéria de l'hôpital.

— D'après nos enquêtes, Hannah n'a d'autre famille que vous. En conséquence, et sous réserve de votre accord, vous serez sa tutrice.

Le cœur étreint d'une peur mêlée d'excitation, Rachel hocha la tête.

— Je n'ai pas changé d'avis. Hannah est ma nièce. Je l'ai tout de suite adorée et je veux m'en occuper. Je souhaiterais régler les démarches d'adoption dès que possible.

— Bien, répondit Beth en souriant. Mais vous devez vous attendre à avoir beaucoup de travail, entre le ranch et la petite.

— Je sais, mais je me débrouillerai. J'ai de l'aide. Et si jamais je ne m'en sortais pas, je vendrai le ranch.

Beth lui tapota la main et se leva.

— Vous allez faire une mère formidable, Rachel. Je passerai vous voir chez vous dans quelques semaines. D'ici là, si vous avez besoin de quoi que ce soit, n'hésitez pas à m'appeler.

— Donc je peux repartir demain avec Hannah ?

— Oui. Il me faudra juste signer les papiers de sortie, demain matin. Je vous offre tous mes vœux de réussite, conclut-elle en lui serrant la main.

Comme elle sortait de la cafétéria, Beth Nealey croisa Cole et discuta un instant avec lui, puis celui-ci se dirigea avec un large sourire vers la table de Rachel.

— Je viens d'apprendre la bonne nouvelle, dit-il en s'asseyant.

La jeune femme hocha la tête.

— Il va nous falloir rester une nuit supplémentaire. Je suis vraiment confuse d'abuser à ce point de votre gentillesse.

— Ce n'est pas un problème, assura-t-il avec un haussement d'épaules. Il n'y a pas beaucoup

52

de travail, en ce moment, au ranch. J'ai appelé Cy tout à l'heure. Il m'a dit que Bud était passé l'aider.

— Ah bon ? Très bien. Cy a du mal à demander de l'aide, et depuis sa crise cardiaque, je redoute qu'il ne se ménage pas assez. Lorsque vous partirez...

Elle s'interrompit en rougissant.

— Veuillez m'excuser, je sais que vous êtes embauché ailleurs.

— Si vous avez besoin de moi, je peux rester une semaine de plus. Je vous aiderai à me trouver un remplaçant

— Non, Cole. Je ne peux pas exiger cela de vous.

— C'est moi qui vous le propose, Rachel. La situation n'est plus la même qu'avant-hier et vous devez vous occuper en priorité de votre nièce.

— Merci, Cole. Vraiment. Vous savez, je m'inquiétais de ce que mon avocat pouvait dire au sujet de Hannah, mais, poursuivit-elle en haussant les épaules, cela n'a aucune importance puisque j'hérite du ranch dans quelques semaines.

— J'ai entendu dire que vous allez célébrer l'événement, sourit-il.

— Et comment ! Enfin, je vais pouvoir

diriger ce ranch sans avoir à en référer à M. Montgomery.

Cole sourit.

— En attendant, nous avons beaucoup de choses à faire. En premier lieu, récupérer les affaires de votre sœur. Mme Nealey m'a dit que l'employé des services sociaux allait passer tout à l'heure, remarqua-t-il en baissant le regard vers le sac à côté de Rachel. Que diriez-vous de nous en occuper dès maintenant ?

— Maintenant ? Mais…, commença-t-elle. *Pourquoi pas, après tout ? Demain matin, ils n'auraient pas le temps.*

— Bien. Merci, Cole.

Elle le suivit vers le parking, clignant des yeux dans la lumière d'été. Tandis qu'il s'installait au volant, elle remarqua un amas de boîtes et de sacs sur le siège arrière.

— Cole, qu'est-ce que c'est que cela ?

Il jeta un coup d'œil sur les paquets.

— Oh, ça… Ce sont des choses dont vous aurez besoin pour le bébé à notre retour au ranch.

— Vous avez acheté tout ça ?

— Croyez-moi, ce n'est qu'une petite partie de tout ce qu'il vous faudra. Des vêtements, par exemple, mais j'ai pensé que vous préféreriez les choisir vous-même.

— Cole… Comment se fait-il que vous sachiez tout cela ?

Les yeux fixés sur la route, il ne répondit pas tout de suite.

— J'ai eu un fils.

Rachel ouvrit de grands yeux, mais, par discrétion, n'osa pas le questionner davantage. Pourtant, deux heures plus tard, après avoir récupéré les maigres effets de Sarah, qui occupaient à peine deux valises et trois boîtes, les paroles de Cole continuaient de résonner dans sa tête.

Il avait eu un fils. Etait-il mort ? Que s'était-il passé ? Cole était-il marié ? Mais alors, leur baiser… Elle coula un regard vers lui. Bien sûr. Quelle idiote elle était de s'imaginer…

Soudain, les pneus crissèrent et Rachel dut s'accrocher à son siège.

— Qu'est-ce qui ne va pas ?

Sans répondre, Cole se gara sur le trottoir et lui fit face.

— Ce qui ne va pas ? C'est à vous de me le dire. Depuis tout à l'heure, vous vous conduisez comme si j'étais une sorte d'animal étrange. Si c'est à cause de ce qui s'est passé la nuit dernière, je me suis déjà excusé...

— Je sais. Et ce n'était pas votre faute. C'est moi qui vous avais demandé de rester.

Il la fixa d'un regard scrutateur.

— Je n'arrête pas de penser à ce que vous avez dit... au sujet de votre fils.

Un voile de souffrance assombrit les traits de Cole.

— Je n'ai jamais été père. Mon fils était prématuré. Il n'a pas survécu. Et mon mariage non plus, d'ailleurs.

— Oh, Cole...

Elle lui toucha le bras en guise de réconfort. Il ne recula pas.

— Je suis désolée. Ces derniers jours ont dû être tellement éprouvants pour vous...

Il considéra fixement la main de la jeune femme.

— Pour vous aussi.

— Vous m'avez été d'un grand secours, Cole. J'aimerais tellement pouvoir vous rendre la pareille.

Cole poussa un long soupir. Puis leva les yeux vers elle.

— Faites attention, Rachel. Nous sommes tous

les deux vulnérables, en ce moment. Je ne peux ni ne veux vous faire la moindre promesse.

— Je ne vous demande pas de promesses, répliqua-t-elle d'un ton vif.

Ses yeux bruns étincelaient comme deux étoiles. Subjugué, Cole sentit son cœur fondre. Pourtant, il s'arracha à sa contemplation et tourna le regard vers la rue.

— Vous méritez d'être heureuse, Rachel. Sincèrement. Trouvez-vous un homme stable, pas un type sans attaches… comme moi.

— Je n'ai pas besoin d'un homme, observat-elle, le menton levé avec fierté. En ce moment, ma priorité, c'est ma nièce. Non, je vous disais cela parce que… disons que, moi aussi, je sais ce que c'est, la solitude. Bientôt, je vais hériter du ranch, reprit-elle après un court silence. Je pourrai alors augmenter vos gages… Enfin, si vous décidez de rester, bien entendu.

Le regard absent, Cole ne répondit pas tout de suite. Enfin, il leva les yeux vers elle.

— Je vous ai promis de rester quelques semaines, le temps de me trouver un remplaçant, mais je ne peux pas faire plus. Croyez-moi, c'est mieux ainsi… pour moi et pour vous. Tôt ou tard, je finirai par vous décevoir.

Rachel ouvrit la bouche, l'air incertain.

— Bon, d'accord, dit-elle après une courte hésitation. Merci, Cole. Vous m'aidez beaucoup, en ce moment.

— Oh, ce n'est rien. Le plus dur est devant nous : prendre soin d'un nouveau-né vingt-quatre heures sur vingt-quatre.

Le lendemain, à dix heures, Rachel signait les papiers qui faisaient d'elle la tutrice de sa nièce. Ensuite, elle alla se recueillir sur la tombe de sa sœur et lui promit d'adopter Hannah dès que possible et de l'aimer comme sa propre fille.

Le voyage du retour se déroula dans une monotonie ponctuée par quelques arrêts pour changer Hannah et lui donner le biberon. Enfin, en début de soirée, tous trois arrivèrent au ranch. Alors qu'elle contemplait les vieux bâtiments rosis par la lumière du soir, le jardinet et les pensées multicolores qu'elle avait plantées devant le porche, Rachel sentit son cœur se gonfler d'émotion. C'était là qu'elle vivait, qu'elle avait ses racines, et c'était là que Hannah allait grandir.

— Voilà, dit Cole en se garant. Nous arrivons juste à l'heure du dîner.

Ils entendirent derrière eux un petit gémissement.

— Vous ne croyez pas si bien dire, observa Rachel. C'est l'heure du biberon de Hannah.

— Occupez-vous d'elle. Je vais demander à Cy de m'aider à décharger la voiture.

Cy, sorti à leur rencontre, serra la jeune femme dans ses bras avec effusion. A cet instant, un léger cri leur parvint de l'intérieur de la voiture.

— Tiens, tiens, sourit Cy. Présentez-moi cette petite demoiselle.

Rachel ouvrit la portière arrière et désangla le siège bébé.

— Cette petite demoiselle s'appelle Hannah et elle est bien contente d'arriver chez elle.

— Emmène-la donc à l'intérieur, que je la voie un peu mieux.

La jeune femme entra dans la cuisine et contempla avec bonheur le vieux mobilier, les murs à la peinture écaillée, le linoléum usé. Comme c'était bon d'être chez soi !

Un ragoût mijotait doucement sur la cuisinière.

— Mary est venue nous préparer le dîner. Elle pensait que tu aurais d'autres choses à faire en rentrant.

En effet, Hannah s'époumonait en battant l'air de ses jambes et de ses poings.

— Ah, merci, dit la jeune femme à l'adresse de Cole, qui arrivait avec la trousse de toilette. Cy, pourrais-tu rincer le biberon pendant que je la change ?

Il allait falloir acheter une table à langer, songea-t-elle en allongeant le bébé sur le canapé du salon. Cela et tant d'autres choses…

Elle était en train de rhabiller Hannah lorsque Cole entra, un biberon tiède à la main. Rachel assit l'enfant sur ses genoux et lui présenta la tétine. Les cris cessèrent aussitôt.

— Eh bien ! C'est incroyable ce que ce tout petit bout de femme peut faire comme bruit, dit Cy en s'asseyant en face de Rachel.

— J'espère qu'elle pleurera moins lorsqu'elle aura son biberon à heures fixes, soupira la jeune femme.

— Et sa chambre, sourit Cy. Bud m'a aidé à descendre du grenier ton vieux lit de bébé. Nous l'avons installé dans la pièce en face de ta chambre. Et Mary a également apporté des vêtements de bébé.

— Oh, comme c'est gentil ! Merci, Cy.

Rachel posa le biberon et tapota le dos de Hannah.

— Mais je t'en prie. Il est bien normal que nous apportions tous notre aide. Oh, et nous avons aussi retrouvé un… tu sais bien… une sorte de corbeille qui sert de lit…

— Un couffin, intervint Cole.

— Comment sais-tu cela, toi ? questionna le vieil homme en haussant un sourcil broussailleux.

— Nous avons appris pas mal de choses sur les bébés, tous les deux, s'empressa de dire Rachel. Pendant que j'étais à l'hôpital, Cole est même allé faire des courses pour Hannah.

— C'est vrai ? C'est bien, ça.

Mais Cole repoussa ce compliment d'un haussement d'épaules.

— Un bébé a besoin de beaucoup de choses. Venez, Cy. Nous n'avons pas fini de décharger la voiture.

Rachel sourit en regardant les deux hommes sortir et s'affaissa sur le canapé. Blottie dans ses bras, Hannah dormait comme un ange.

— Bienvenue à la maison, Hannah, dit doucement la jeune femme. Bienvenue chez toi.

\*\*\*

Cole dormait dans un petit local préfabriqué affecté aux saisonniers. Le confort était rudimentaire, mais la vie d'un cow-boy n'avait rien de luxueux. En tout cas, ce n'était pas cela qui l'empêchait de dormir.

Avec un soupir, il alluma la lampe de la table de chevet : minuit. Il n'avait pas sommeil. Trop de souvenirs, trop d'émotions se bousculaient dans sa tête. Ce séjour à l'hôpital, ce baiser, dont la saveur hantait encore ses lèvres… Pourquoi avait-il accepté de surseoir à son départ ? Etait-il si nécessaire à Rachel ?

Fatigué de se tourner et se retourner dans son lit, il se leva et enfila un jean et des bottes. L'air vif de la nuit lui ferait sans doute du bien.

Il fit quelques pas dans l'obscurité, respira profondément et se tourna vers la maison : une douce lumière brillait à une fenêtre de l'étage. Dans le silence, il entendit les pleurs de Hannah. Au même instant, la silhouette de Rachel se découpa dans l'encadrement de la fenêtre.

Cole sourit. Décidément, ce petit être ne manquait pas de poumons… Mais peut-être était-elle malade ? Il s'empressa de monter frapper à la chambre de la jeune femme.

— Rachel… Tout va bien ?

La porte s'ouvrit et Rachel apparut dans l'embrasure, désemparée.

— Cole, je ne sais plus quoi faire. Elle n'arrête pas de pleurer. Je n'en peux plus.

— Tenez, donnez-la-moi un instant, dit-il en nichant l'enfant contre sa poitrine nue.

D'une voix douce et calme, il la berça en lui caressant le dos. L'instant d'après, un rot sonore le fit sourire.

— Voilà qui devrait la soulager.

Rachel ouvrit de grands yeux.

— Mais pourquoi cela n'a pas marché avec moi ?

— Vous n'avez sans doute pas attendu suffisamment.

— Vous croyez ? soupira-t-elle.

Elle se passa une main dans les cheveux avec lassitude et croisa les bras sur sa poitrine. Doucement bercée, Hannah s'était endormie sur le torse de Cole. Troublée par cette soudaine intimité, la jeune femme regarda à la dérobée la chemise ouverte et froissée, les cheveux en broussaille.

— Où voulez-vous que je la pose ?

— Pardon ? fit-elle en clignant des yeux.

— Le bébé ? Voulez-vous que je la couche dans le berceau ?

— Oh, euh, oui.

Cole déposa doucement l'enfant et regarda Rachel border le petit lit. Il pouvait s'en aller, maintenant. Pourtant, quelque chose le retenait dans cette pièce. Il ne pouvait s'éloigner du berceau : c'était comme si, en se posant sur sa poitrine, la petite menotte de Hannah s'était emparée de son cœur.

— Pensez-vous qu'elle fera sa nuit, maintenant ?

— Je ne sais pas, répondit-il avec un haussement d'épaules. Mais vous devriez en profiter pour dormir un peu.

Rachel acquiesça, sans se décider à bouger. Qu'attendait-elle, encore ? Qu'il passe la nuit au chevet de la petite ?

— Merci encore pour votre aide, Cole, dit-elle enfin.

— Il n'y a vraiment pas de quoi. Et rappelez-vous : occupez-vous seulement du bébé. Cy et moi nous chargeons du reste.

— Si vous saviez comme je suis confuse d'abuser de votre gentillesse.

— Mais non, dit-il avec brusquerie. Je ne fais que mon travail. Bonne nuit, Rachel.

Seigneur, pour qui le prenait-elle ? Elle avait tort de penser pouvoir compter sur lui. Il n'était pas un homme fiable. Cela, il avait payé cher pour l'apprendre : la vie et l'amour des êtres qui lui étaient les plus chers.

# 4.

A l'aube, fraîchement lavée, en jean usé et chemise d'homme, Rachel allongca Hannah dans le porte-bébé en prenant bien garde de ne pas la réveiller, puis descendit dans la cuisine pour préparer le petit déjeuner. La petite ouvrit ses grands yeux bleus et agita ses menottes.

— Bonjour, ma toute belle, sourit Rachel. Tu vas devoir me regarder travailler.

L'enfant babilla doucement. Soudain, le cœur de Rachel se gonfla de tendresse et de regrets et ses yeux se mouillèrent de larmes.

— Oh, Sarah, tu devrais être ici, avec ta petite fille.

Secouant la tête pour chasser son chagrin, elle se mit au travail. Bientôt, une bonne odeur de biscuits flotta dans la cuisine. Cy entra en grommelant, un panier d'œufs frais au bras.

— Je préfère encore nettoyer les écuries que

d'aller ramasser les œufs. Ces sacrés volatiles me rendront fou. Un jour ou l'autre, je vais leur tordre le cou. Regarde comme elles m'ont encore picoré la main !

La jeune femme réprima un sourire.

— La patience n'a jamais été ton fort.

— Avec ces vieilles poules ? Ce serait une perte de temps.

Un léger gazouillis attira son attention.

— Bonjour, vous ! Comment va-t-on, ce matin ?

— Elle a bien dormi. Elle ne s'est réveillée qu'une fois, vers minuit. Heureusement, Cole a réussi à la calmer, autrement, je ne m'en sortais pas.

Le vieil homme haussa un sourcil.

— Cole t'est utile à beaucoup de choses, à ce que je vois.

— Il aime beaucoup Hannah.

— Et toi ? As-tu bien dormi ?

— Oh, comme ci, comme ça, répondit-elle en cassant des œufs dans un grand bol.

S'interrompant, elle s'assit avec un soupir.

— Cy, crois-tu que je ferai une bonne mère ?

— Tu baisses les bras, après une nuit ? Cela ne te ressemble pas.

— Je ne baisse pas les bras. C'est juste que… tant de choses sont arrivées en si peu de temps. J'ai peur de ne pas être à la hauteur.

— Mais qu'est-ce que tu racontes ? Tu étais haute comme trois pommes que tu t'occupais déjà des poulains et des veaux. Et puis, soupira-t-il, je suis sûr que Sarah est heureuse que tu t'occupes de sa fille.

Rachel hocha tristement la tête.

— Si tu savais comme elle me manque. J'avais l'intention de partir à sa recherche lorsque j'aurais hérité du ranch. Si seulement je m'en étais occupée quelques semaines plus tôt…

— Allons, ma chérie, dit-il en lui serrant le bras. Laisse le passé au passé. Pense à la magnifique petite fille qui nous est arrivée.

La jeune femme essuya une larme.

— Tu as raison. Je ne dois pas me laisser aller.

— Ah ! Je te préfère comme cela.

Au même instant, Cole poussa la porte. Dès qu'elle le vit, Rachel sentit son cœur battre plus vite.

— Bonjour, dit-il en accrochant son chapeau à une patère.

— Bonjour, Cole, répondit-elle d'un ton dégagé. Le petit déjeuner va être prêt.

— Prenez votre temps.

Il se pencha vers le bébé, qui lui sourit.

— Comment a-t-elle passé le reste de la nuit ?

— Bien. Elle s'est réveillée un petit moment vers 4 heures, c'est tout.

Hannah avait sans doute deviné qu'on parlait d'elle car elle commença à pleurer.

— Je crois qu'elle réclame son biberon, remarqua Rachel.

— Vous devriez sans doute faire l'acquisition d'un four à micro-ondes, dit Cole en la voyant brancher le chauffe-biberon.

— S'il n'y avait que cela, soupira-t-elle.

Cole opina et se mit en devoir de préparer les œufs brouillés. Il ne lui appartenait pas de s'occuper de la petite. Il s'était déjà suffisamment mêlé des histoires de cette famille.

— Ce matin, nous allons transférer le vieux Brutus dans le grand pré du sud, dit Cy en déposant une cafetière sur la table. Nous devrions être de retour en début d'après-midi, sauf, bien sûr, si tu as besoin de nous.

— En début d'après-midi, tu es sûr ? Je n'ai jamais connu de taureau plus têtu que Brutus.

Un coup à la porte les fit sursauter.

— J'y vais, dit Cole.

Un grand gamin dégingandé et timide se tenait à la porte.

— Bonjour, monsieur. J'ai entendu dire que vous recherchiez quelqu'un pour la ferme.

Cole le jaugea d'un regard rapide.

— C'est exact, mais c'est un travail à plein temps, et tu dois aller au lycée.

— Pas en ce moment : c'est l'été. J'ai vraiment besoin de travailler.

— Qui est-ce, Cole ? demanda derrière lui la voix de Rachel.

— Je suis Josh Owens, madame. Je suis venu pour la place de cow-boy.

Rachel échangea un bref regard avec Cole.

— Eh bien, entre. Nous n'avons encore vu personne. Je suis Rachel Hewitt et voici Cole Parrish, poursuivit-elle en l'escortant vers la cuisine. Je te présente Cy Park, le contremaître. Cy, ce garçon s'appelle Josh Owens. Assieds-toi,

Josh. Nous allions déjeuner, veux-tu te joindre à nous ?

Le garçon serrait dans ses mains un vieux chapeau.

— Oh, merci, madame, mais je ne veux pas déranger.

— Tu ne déranges personne, voyons, dit-elle en sortant une autre assiette.

— Owens… Ton nom me dit quelque chose, remarqua Cy. Ce ne seraient pas tes parents qui louent la ferme des Driscoll ?

— Si, monsieur. Mais mon père est parti chercher du travail à Midland.

Il regarda avec émerveillement l'assiette d'œufs brouillés aux haricots que Rachel déposa devant lui. Cole vint s'asseoir à côté de lui.

— Tu as déjà travaillé dans un ranch ?

— Oui, monsieur. L'été dernier. J'aidais mon père.

Cole regarda la jeune femme. Elle hocha la tête en signe d'assentiment : ils ne pouvaient pas refuser ce travail à ce gosse.

— Mais Josh, tu dois comprendre que tu es encore mineur. Il nous faudrait une autorisation parentale pour t'engager.

Le visage de l'adolescent s'assombrit.

72

— C'est que… je ne sais pas vraiment où se trouve mon père. Et je n'ai pas vu ma mère depuis trois ans.

— Cole, lança Rachel après un court silence, si cela ne vous dérange pas, Josh logera dans le préfabriqué… jusqu'à ce que nous ayons retrouvé trace de son père, bien entendu. Je pourrais sans doute appeler Beth Nealey à ce propos.

Cole se contenta de hausser les épaules, sachant qu'il était inutile de discuter.

— Pourquoi pas. Laissons-le nous montrer de quoi il est capable.

Josh releva la tête.

— C'est vrai ? Merci, monsieur.

— Arrête de me donner du « monsieur ». Je m'appelle Cole, lui c'est Cy, et cette dame, c'est Rachel. Et ce bébé qui dort s'appelle Hannah.

Le garçon hocha la tête.

— Merci, monsi… Cole. Je ne vous décevrai pas.

— Autre chose, à la rentrée, tu ne pourras travailler que tôt le matin et en fin de journée.

Josh baissa la tête.

— Oh, j'ai arrêté l'école.

— Si tu veux travailler ici, tu devras reprendre tes études. C'est à prendre ou à laisser.

— Bon, d'accord.

— Bien. Tu peux t'installer quand tu veux.

— Mes affaires sont dehors. S'il vous plaît, madame, est-ce que je pourrais utiliser votre machine à laver ? demanda-t-il timidement.

— Bien sûr. Je te montrerai comment t'en servir après le petit déjeuner.

Une demi-heure plus tard, alors que Cy faisait visiter le ranch au garçon, Cole s'attarda dans la cuisine avec Rachel.

— J'espère que vous savez ce que vous faites. Vous assumez la responsabilité d'un deuxième mineur.

La jeune femme le regarda fixement.

— Bien sûr que je le sais, mais je n'allais tout de même pas renvoyer ce garçon.

— Vous ne devriez pas vous occuper de lui. Vous n'êtes pas une assistante sociale, Rachel.

— Heureusement, autrement il serait placé en foyer. Il est bien mieux ici, Cole. Et j'ai besoin de lui. Avec Hannah, j'aurai beaucoup moins de temps pour le ranch. C'est un brave garçon.

— Comment pouvez-vous le savoir ? Parce qu'il vous a appelée « madame » ?

— Non. Je l'ai deviné à ses yeux. Il veut faire

74

partie de la maison. Nous devons lui donner sa chance.

— Comme vous voudrez, soupira-t-il. Mais appelez quand même Mme Nealey.

— Je le ferai, aujourd'hui même. Je n'arrive pas à croire qu'un père puisse ainsi laisser son enfant seul au monde, remarqua-t-elle après un court silence.

— Des gamins comme Josh, il y en a pourtant beaucoup, répondit-il d'une voix sourde.

La jeune femme lui jeta un coup d'œil à la dérobée. Cole parlait-il de lui-même ?

En milieu d'après-midi, après avoir téléphoné à Beth Nealey, Rachel se souvint du courrier d'Éoliennes 21 : depuis l'annonce du décès de Sarah, elle n'avait guère eu l'occasion de s'en occuper. Il était grand temps de les rappeler.

Elle ressortit la lettre et décrocha le téléphone.

— Bonjour, je souhaiterais parler à M. Douglas Wills.

— C'est moi-même.

— Bonjour, monsieur Wills. Je suis Rachel Hewitt, du ranch Bar H. Vous m'avez envoyé une lettre il y a quelques mois pour louer la parcelle de la Mesa rocheuse. Etes-vous encore intéressé ?

— Tout à fait, mademoiselle Hewitt, quoique M. Montgomery nous ait laissé entendre que vous n'étiez pas favorable à cette idée.

Une bouffée de colère envahit la jeune femme.

— C'est faux. Votre offre m'intéresse beaucoup, au contraire. Par ailleurs, dès la fin du mois, je serai propriétaire à part entière de mon ranch et M. Montgomery ne me représentera plus. Vous pouvez donc dès à présent vous adresser directement à moi, sans en référer à mon avocat. Quel jour souhaiteriez-vous venir visiter la parcelle, monsieur Wills ?

Quel plaisir de s'affirmer comme propriétaire, de se sentir libre de ses choix, libre de ses décisions !

Rachel abrégea la conversation en entendant le moniteur pour bébé et monta s'occuper de Hannah. Cette liberté nouvelle ne devait pas lui monter à la tête. Elle était responsable d'une petite fille. Et bientôt, après le départ de Cole, hormis Cy, elle ne pourrait compter que sur elle seule.

— Rachel fêtera son anniversaire la semaine prochaine, dit Cy. Tu ne penses pas que nous devrions marquer le coup ?

Occupé à réparer une barrière d'enclos, Cole ne répondit pas.

— Eh, tu m'écoutes ? Rachel aura trente ans vendredi prochain. Tu sais comme cette date est importante pour elle. Elle va enfin pouvoir gérer ce ranch comme elle l'entend, sans devoir toujours rendre des comptes à cet avocat de malheur.

Cole observa un instant le petit troupeau de vaches Hereford.

— Elle devrait peut-être vendre.

— Vendre ? Mais elle aime son ranch. Bien sûr, en ville, elle aurait une vie plus facile, surtout avec Hannah, mais…

Il secoua la tête.

— Je ne l'imagine pas vivre à la ville.

— Elle trime, ici. Et il lui faudrait une activité complémentaire pour s'en sortir. C'est une vie difficile.

— Oui… Sauf avec quelqu'un pour la partager.

— Elle a Hannah.

Le vieil homme lui lança un regard luisant de colère.

— Imbécile ! Tu sais très bien ce que je veux dire.

Cole détourna le regard. Bien sûr, il savait où Cy voulait en venir, seulement… il n'était pas le genre d'homme à fonder une famille. Il était trop indépendant. Trop égoïste, surtout. Jillian le lui avait suffisamment reproché. Il ne pouvait pas lui donner tort. Il n'avait jamais été le mari aimant, généreux, présent qu'elle aurait mérité. Le cœur lourd, il caressa distraitement une petite médaille au fond de sa poche.

— Eh, on dirait que Rachel a de la compagnie, remarqua Cy. Ce cher vieux Monty nous ferait-il une visite surprise ? Viens, allons voir.

Comme ils approchaient de la maison, Cole remarqua un 4x4 garé devant le porche, et lut « Eoliennes 21 » sur la portière. Donc, Rachel les avait appelés. Bien.

— Je vais voir ce qu'ils veulent, dit Cy en fronçant les sourcils.

— Non. Laissons Rachel s'occuper d'eux. Si elle a besoin de nous, elle saura bien nous appeler.

Au même instant, la porte d'entrée s'ouvrit et

un homme sortit sous le porche : la trentaine, grand, vêtu avec décontraction d'un pantalon de ville noir et d'une chemise blanche. Rachel le suivait, radieuse. Cole se figea. Elle portait une jupe ? Habitué à la voir en tenue de travail, il détailla avec surprise son chemisier rose pâle et sa longue jupe noire. L'inconnu se tourna vers elle et lui dit quelque chose. Ils éclatèrent de rire.

— Eh bien, ce type a l'air de s'intéresser de près à notre Rachel, observa Cy, une main sur la hanche.

Cole haussa les épaules avec raideur.

— Pourquoi pas. Mais je crois qu'il est venu pour affaires.

— Tu plaisantes ? Il la dévore des yeux.

Cole se détourna brusquement et mena son cheval à l'écurie. Au même instant, Rachel s'aperçut de leur présence et leur fit signe de s'approcher.

— Cy, Cole, je voudrais vous présenter Doug Wills, de la société Eoliennes 21.

Les hommes échangèrent des poignées de mains.

— L'entreprise de Doug souhaiterait

installer soixante-quinze éoliennes sur la Mesa rocheuse.

— En effet, mais rien ne presse, Rachel. Prenez le temps de bien étudier le dossier avant de prendre une décision. Si vous avez la moindre question, n'hésitez pas à m'appeler. Mon numéro de portable est au verso de ma carte de visite.

— Merci, Doug.

— Mais je vous en prie.

Il serra la main de la jeune femme plus longtemps qu'il ne l'aurait fallu, pensa Cole.

— Au revoir, Rachel. Appelez-moi vite.

Puis, saluant les deux hommes d'un bref signe de tête, il s'installa au volant de son 4x4 et disparut dans un nuage de poussière.

— Rachel, peux-tu m'expliquer qui était cet homme ?

— Cet homme est notre avenir, Cy, répondit la jeune femme en souriant. C'est le représentant de la société dont je vous avais parlé, avant notre déplacement à San Antonio, ajouta-t-elle à l'adresse de Cole.

— Que vous a-t-il dit ? s'enquit ce dernier en la suivant dans le bureau de Gib.

— Beaucoup, beaucoup de choses ! Il m'a décrit le projet de la société, il m'a aussi donné

80

le nom des autres bailleurs de la région. Je ne comprends vraiment pas pourquoi leur idée n'intéresse pas Lloyd Montgomery. Il aurait pu au moins m'en parler…

— Peuh ! fit Cy. Il doit sans doute penser que ce projet ne lui rapportera pas d'argent.

— J'aimerais que vous jetiez un œil sur ces papiers, dit-elle en posant la main sur un dossier. Votre avis m'importe beaucoup.

Le vieil homme secoua la tête.

— Je n'ai pas le temps maintenant, je dois m'occuper des chevaux. Fais-le, toi, Cole.

— Comme vous voudrez. Mais ce n'est pas à moi de prendre la décision.

— Pourtant, vous pensez toujours que c'est une bonne idée ?

— Disons, une idée raisonnable : cette location constituerait un complément de revenus stable pendant des années. Et puis, de toute façon, cette parcelle ne peut pas servir de pâturage. Toutefois, ajouta-t-il après un silence, vous devriez demander l'avis d'un avocat.

— Je ne veux pas que Lloyd Montgomery s'en occupe, et je ne connais pas d'autre avocat.

Elle soupira.

— Auriez-vous quelqu'un à me recommander ?

Après une courte hésitation, Cole hocha la tête :

— J'en connais un à Atlanta.

— Et vous lui faites confiance ?

— C'est un frère, pour moi.

Elle le regarda un instant et, de nouveau, ressentit un élan de compassion à son égard.

— Atlanta, c'est de là que vous venez ?

— Oui, mais j'en suis parti voici longtemps. Plus personne ne m'y attend, maintenant.

Visiblement émue, Rachel sourit.

— Vous pourriez faire votre vie ici, si vous le vouliez.

Avant qu'il ait pu répondre, le moniteur pour bébé émit un bruit.

— On dirait que la petite princesse vient de se réveiller, dit-il. Si vous voulez bien m'excuser, Rachel, j'ai du travail.

# 5.

Le soir même, Cole profita d'un instant de solitude pour téléphoner à Luke Calloway, l'« avocat » dont il avait parlé à Rachel. Luke était son plus vieil ami. Dix ans plus tôt, tous deux avaient créé une entreprise spécialisée dans les fibres optiques. Il s'était lancé à corps perdu dans cette affaire, sacrifiant son temps et sa vie de famille. Jillian ne le lui avait pas pardonné. Comment le lui reprocher ? Il n'avait jamais été là pour elle. Ni pour les bons moments, ni lorsqu'elle avait eu besoin de lui. C'était par un voisin qu'il avait appris son hospitalisation. Le temps d'arriver à son chevet, il était trop tard : leur fils, accouché prématurément, était mort.

— Oui, allô ! claironna une voix familière.

— Luke, c'est Cole.

— Cole ! Eh bien, ce n'est pas trop tôt. Je

finissais par me demander si tu étais encore de ce monde.

Cole ne put s'empêcher de sourire.

— Tu me regrettes ?

— Et comment, idiot ! Mais cela, je te l'avais déjà dit au moment où tu te retirais du projet. *Notre* projet, si tu te rappelles bien.

Cole soupira.

— Luke, nous avons déjà eu cette conversation. J'avais besoin de faire le point.

Un long silence tomba.

— Cela ne m'empêche pas de me faire du souci pour toi, répondit Luke. Je pensais que nous étions plus que des partenaires en affaires…

— C'est vrai. Seulement, je ne pouvais plus continuer comme cela.

— C'était la faute de Jillian. Elle était toujours sur ton dos.

— N'accuse pas Jillian, je te prie. Moi aussi, j'avais mes torts.

Il soupira.

— De toute façon, j'ai tourné la page. Je t'appelais pour un tout autre sujet. J'aurais besoin de conseils juridiques.

— Pourquoi ? Tu n'as pas de soucis, j'espère ?

Cole éclata de rire.

— Oh, non. Je mène une vie des plus tranquilles, à la campagne, dans un ranch.

— Toi, dans un ranch ? Tu dois t'ennuyer !

— Je n'ai pas le temps. Et je me plais dans cette vie. Mais pour en revenir aux raisons de mon appel, j'ai une amie qui aurait besoin d'un avis concernant un contrat. Si je te faxe le document, pourrais-tu y jeter un coup d'œil ?

— D'accord, à condition que tu me donnes des nouvelles de temps en temps, ou que tu répondes au moins à mes coups de fil.

— Entendu. Mais toi, arrête d'insister pour que je revienne.

— Comme tu voudras, soupira Luke.

— Merci pour ton aide, Luke.

— A quoi servent les amis ?

Cole raccrocha lentement. Il était normal que Luke ne comprenne pas ses choix de vie. Bon vivant, jouisseur, il n'était pas du genre à se poser des cas de conscience au sujet d'une femme. De toute façon, il n'avait jamais aimé Jillian et avait toujours prédit l'échec de leur mariage. Il était inutile de lui parler de cette culpabilité, de cette honte d'avoir failli aux siens, de cette douleur du manque, souvent pire qu'une souffrance physique.

Il tourna le regard vers la porte : Josh se tenait dans l'embrasure, hésitant.

— Veuillez m'excuser… Je ne voulais pas vous interrompre, balbutia-t-il en esquissant un geste pour s'en aller.

— Reste, Josh. Voulais-tu me parler ?

— Oui. Cy m'a dit que Rachel fêtait son anniversaire vendredi prochain. Il voudrait organiser une petite soirée en son honneur.

— Oui, je sais, soupira Cole. Il n'arrête pas de me harceler à ce sujet. Il faut dire que ce n'est pas un anniversaire comme les autres : Rachel va hériter du ranch.

— C'est vrai, sourit Josh. Je voulais vous dire… J'aimerais beaucoup participer aux préparatifs. Rachel a été si bonne avec moi…

Cole regarda le jeune homme avec sympathie.

— Sais-tu qui sera invité ?

— Cy m'a passé une liste.

Cole jeta un coup d'œil au papier que lui tendait le garçon : la liste mentionnait une vingtaine de personnes, en majorité des membres de la congrégation.

— Qui va se charger du repas ?

— Je ne sais pas. Cy m'a dit qu'il allait commander un gâteau en ville.

— Bien. Dis-lui que je m'occupe de trouver un traiteur.

C'était bien la moindre des choses qu'il pouvait faire pour Rachel. Lui aussi lui devait tellement…

Pour son anniversaire, Rachel décida de s'octroyer une journée de congé. Après le biberon du matin, elle habilla Hannah d'une petite robe rose à fronces.

— Mais vous êtes absolument ravissante, ce matin, mademoiselle, fit-elle en lui tapotant le nez.

Le bébé gazouilla en agitant les poings.

— Aujourd'hui n'est pas un jour comme les autres. Savez-vous pourquoi ? Mmmh ? C'est aujourd'hui que nous héritons du ranch. Je suis enfin maîtresse chez moi. Mais oui ! C'est merveilleux, n'est-ce pas ? Oui, oui, oui, c'est bien mon avis. Que la fête commence ! dit-elle en descendant l'escalier.

A la cuisine, les trois hommes discutaient des tâches de la journée.

— Bonjour, tout le monde ! claironna-t-elle, radieuse.

Ils affectèrent de lui rendre son salut comme tous les autres jours.

— Eh bien, c'est tout ce que vous me dites ?

— A propos de quoi ? demanda innocemment Cole.

— Savez-vous quel jour nous sommes ?

— Le 24 juillet. Pourquoi ? lui demanda Cy pour la taquiner.

— Tu sais très bien pourquoi, répondit-elle en lui donnant une tape affectueuse sur la joue. C'est mon anniversaire aujourd'hui !

— Vraiment ? Joyeux anniversaire, Rachel, la félicita Cole avec l'un de ses rares sourires.

— Joyeux anniversaire, ma fille, dit Cy en la serrant contre son cœur. Trente ans, cela se fête ! Tous les trois, nous avons eu l'idée de te préparer un bon petit gueuleton, pour ce soir.

— Oh, mais ce n'est pas nécessaire. Ma pauvre cuisine...

— Ne t'inquiète pas, ma fille.

— Comme tu voudras, soupira-t-elle. De toute

façon, je pars en ville ce matin. J'ai rendez-vous avec un certain avocat.

— Veux-tu que l'un de nous t'accompagne ?

— Non. Je saurai me débrouiller seule.

— Mais qui va garder le bébé ? demanda Josh.

— Mary Campbell et sa fille. Elles viennent ce matin.

— Amy ?... Amy Campbell ?

Rachel se rendit soudain compte qu'Amy et Josh avaient le même âge.

— Oui. Tu la connais ?

Le jeune homme baissa la tête en rougissant.

— Nous allions à la même école, mais je ne crois pas qu'elle me connaisse.

— Eh bien, vous aurez l'occasion de faire connaissance, dit la jeune femme en souriant.

Puis, se tournant vers Cy, elle ajouta :

— Vous n'aurez pas de problème avec le repas de midi ?

— Mais non ! Va donc t'amuser un peu en ville, répondit-il en la poussant vers la porte. Nous nous débrouillerons.

La jeune femme se doutait bien qu'ils mijotaient quelque chose, mais elle n'avait pas envie de savoir quoi.

10 heures du matin : l'heure du rendez-vous qu'elle espérait et redoutait depuis tant de mois, tant d'années. Rachel inspira profondément et entra dans le cabinet de Lloyd Montgomery. Jamais elle n'y était retournée depuis l'enterrement de son père, deux ans plus tôt. Avec un pincement au cœur, elle se remémora le sentiment de trahison qu'elle avait éprouvé à la lecture du testament. Comme ce vieux Monty avait l'air content, ce jour-là… Aussi la visite d'aujourd'hui avait-elle un délicieux parfum de revanche pour la jeune femme.

— Puis-je vous aider ? demanda la réceptionniste.

— Je suis Rachel Hewitt. J'ai rendez-vous avec M. Montgomery.

— Si vous voulez bien patienter, mademoiselle Hewitt.

L'instant d'après, un homme aux tempes grisonnantes apparut à la porte d'un vaste bureau.

— Rachel ! Quel plaisir de vous voir !

— Bonjour, monsieur Montgomery.

— Je vous en prie, appelez-moi Monty, dit-il en la faisant asseoir. Je crois deviner les raisons de votre visite. Tout d'abord, permettez-moi de vous souhaiter un joyeux anniversaire, Rachel.

— Merci.

— Si vous le voulez bien, je vous invite à dîner. Je connais un merveilleux petit restaurant.

— Je suis désolée, mais c'est impossible, monsieur Montgomery. Je dois retourner au ranch pour m'occuper de Hannah.

— Hannah ?

— C'est ma nièce. Je vous ai informé du décès de Sarah. En revanche, je ne vous ai pas dit qu'elle avait donné naissance à une petite fille juste avant de mourir.

— Un bébé…

Montgomery se renversa sur son siège.

— Vous voilà investie d'une lourde responsabilité.

— Je sais. J'ai l'intention d'adopter Hannah le plus vite possible.

— Je vois.

— Vous comprendrez donc que je ne peux pas disposer de ma soirée. En fait, je suis juste venue pour vérifier que les formalités sont réglées.

— Les formalités ?

— Oui, le transfert de propriété et le certificat d'héritage.

Montgomery se leva et toussota.

— Je voulais justement m'entretenir de ce sujet avec vous, Rachel. Les papiers ne seront pas prêts tout de suite. Je me demandais pourquoi la situation ne pouvait pas continuer. Je suis sûr que votre père aurait été heureux que nous travaillions ensemble.

*Ensemble ? Ah, ça, il n'en était pas question !*

— Le testament de mon père spécifie que j'assume la gestion du ranch à l'anniversaire de mes trente ans, déclara Rachel en s'efforçant de maîtriser sa voix. Ce jour est venu. Je veux obtenir les titres de propriété.

L'avocat la regarda fixement, comme pour l'intimider.

— Rachel, vous ne pouvez pas gérer ce ranch à vous seule.

— Je ne suis pas d'accord, mais de toute façon, ce n'est pas à vous d'en décider.

Elle se leva et jeta un coup d'œil à sa montre.

— Monsieur Montgomery, je vous donne

jusqu'à 15 heures cet après-midi pour régulariser le transfert de propriété.

— Rachel, cela ne peut pas se faire aussi rapidement…

— Mais bien sûr que si, autrement, je serai contrainte de demander à mon avocat d'intervenir, ajouta-t-elle pour l'impressionner.

Montgomery la considéra avec colère.

— Votre père n'aurait pas été heureux de votre décision. Il avait de grands projets pour le ranch… Des projets pour lesquels je pourrais vous être utile.

— Si c'était vraiment le cas, vous en auriez déjà donné la preuve.

— Bien… J'espère seulement que vous ne regretterez pas cette décision précipitée.

— Croyez-moi, monsieur Montgomery, cette décision est tout sauf précipitée. Je veux seulement obtenir ce qui me revient de droit. Je reviens vous voir à 15 heures.

Puis, sans lui accorder un regard, elle tourna les talons et quitta la pièce.

Quel bonheur ! Elle avait tenu tête à Monty. Comme elle se sentait bien, forte, libre ! Dans la rue, un magasin de prêt-à-porter à la devanture multicolore attira son attention. Pourquoi ne pas faire un peu de lèche-vitrines ? Ces dernières années, faute de temps et d'argent, ses courses en ville s'étaient limitées au magasin de fournitures agricoles. Maintenant qu'elle allait assumer la gestion du ranch, elle pourrait enfin embaucher une aide et se dégager du temps pour elle-même. Pour vivre, enfin.

Oh, délicieux parfum de la liberté ! Souriante, aérienne, elle déambulait avec lenteur sur le trottoir. Une enseigne lumineuse attira son regard : *Inven'tifs*, coiffure pour dames. Elle n'était jamais allée chez le coiffeur. Le problème, c'était qu'avec Hannah, l'entretien de ses cheveux lui prenait beaucoup trop de temps. Une petite coupe lui ferait du bien. Oh, pas grand-chose, quelques centimètres, tout au plus. Elle poussa la porte et une jeune femme blonde lui sourit.

— Puis-je vous aider ?

— Je souhaiterais me faire couper les cheveux. Une coiffure pratique, mais élégante.

— Certainement. Veuillez me suivre, je vous prie.

Une heure plus tard, Rachel ressortait du salon, les cheveux raccourcis d'une trentaine de centimètres. Dans une célèbre enseigne de prêt-à-porter, elle acheta une jupe à rayures multicolores, un chemisier bleu et des sandales qu'elle portait en sortant du magasin. Pour ses trente ans, elle avait envie de se faire belle. Aux regards appréciateurs des hommes qui la croisaient, elle sut que le résultat était au rendez-vous. Et Cole, comment réagirait-il face à son nouveau style ? Envahie d'une brusque chaleur, elle secoua la tête.

13 heures venaient de sonner. Avisant une cabine téléphonique, elle appela pour prendre des nouvelles de Hannah et avertit Mme Campbell qu'elle serait de retour en fin d'après-midi. Alors qu'elle se demandait comment s'occuper jusqu'à l'heure de son rendez-vous avec Montgomery, elle entendit son nom. Elle se retourna et vit Doug Wills.

— Oh, Doug, comment allez-vous ?

— Très bien, très bien…, répondit-il en laissant son regard s'attarder sur la silhouette de la jeune femme. J'aime beaucoup votre nouveau style.

Rachel se sentit rougir.

— Oh, merci. Je voulais célébrer mon anniversaire.

— C'est votre anniversaire ? Dans ce cas, laissez-moi vous inviter au restaurant.

Elle cligna des yeux, interloquée.

— Vraiment, ce n'est pas nécessaire.

— Allons, cela me ferait plaisir. Ne me dites pas non… sauf si vous avez déjà un rendez-vous.

— Non, répondit-elle en secouant la tête. Je dois voir mon avocat à 15 heures, c'est tout. A ce propos, j'ai examiné votre contrat et souhaiterais en discuter avec vous… si vous êtes encore intéressé, bien entendu.

— Alors, nous avons tous les deux motif à célébration. Venez, je vous invite, dit-il en lui prenant le bras.


Le soir tombait sur le ranch. Cy, Cole et Josh avaient apprêté un buffet et caché un énorme gâteau dans le bureau de Gib. Les invités avaient répondu à l'appel et patientaient dans le salon. Pour ménager la surprise, Cy leur avait demandé de se garer derrière la grange. Tout était prêt. Il manquait seulement la principale intéressée.

— Elle est en retard, tempêta Cy. Je suis sûr que ce satané avocat lui a encore joué un sale tour. J'aurais dû y aller avec elle.

— Non, dit Cole. Elle voulait régler ces formalités toute seule.

Josh entra en coup de vent dans la cuisine.

— La voilà, elle arrive !

— Enfin ! s'exclama Cy. Ecoute, fiston, va vite dire aux invités de se cacher et de ne pas faire de bruit jusqu'à ce que je la fasse entrer dans le salon.

Quelques minutes plus tard, Rachel se garait devant le porche. Cole, sorti à sa rencontre, eut un sursaut de surprise. Elle s'était fait couper les cheveux ? Des boucles soyeuses tombaient librement sur ses épaules et dansaient autour de son joli visage ovale. Un maquillage raffiné rehaussait son regard noisette. Quant à sa tenue… Les vieux jeans et les grandes chemises qu'elle portait habituellement ne lui avaient jamais laissé imaginer une silhouette aussi parfaite.

— Ça va, Cole ?

— Très bien. On dirait que vous avez passé une bonne journée.

— Une journée merveilleuse ! Oh, comme tu m'as manqué ! fit-elle en prenant Hannah des bras d'Amy Campbell. Ça s'est bien passé ?

— Oui, oui, elle a été adorable, la rassura la jeune fille. Dites donc, Rachel, j'adore votre nouvelle coupe de cheveux.

— Merci. J'avais envie de changer.

Elle promena un bref regard dans la cuisine.

— Le repas n'est pas prêt ?

— Si, dit Cole. Nous pensions dîner dans le salon, pour l'occasion.

— Oh, mais que tu es belle ! s'exclama Cy en entrant dans la pièce.

Rachel rougit légèrement.

— Merci. J'ai pensé qu'un petit relookage me ferait du bien.

— Tout à fait, tout à fait ! Comment s'est passé l'entretien avec Monty ? Il ne t'a pas donné trop de fil à retordre ?

— Un peu, mais nous sommes parvenus à un accord. Le ranch est à moi. Je vous raconterai plus tard.

— Oh, ma chérie, si tu savais comme je suis heureux pour toi ! se réjouit le vieil homme. Viens, allons dîner.

Il ouvrit la porte du salon et céda le passage à la jeune femme. Au milieu de la pièce, un somptueux buffet de hors-d'œuvre avait été dressé.

— Surprise ! crièrent les invités en sortant de leur cachette.

— Oh, Seigneur ! balbutia Rachel.

Emue jusqu'aux larmes, elle embrassa chacun des invités, puis Cy et Cole distribuèrent des assiettes et chacun se servit au buffet.

— Je suppose que vous avez participé à tout ceci, dit-elle à Cole.

Celui-ci haussa les épaules avec modestie.

— Moi et les autres. Le véritable maître d'œuvre, c'est Cy.

Rachel le regarda en souriant, touchée par tant d'humilité. Au contraire de tant d'hommes, Cole ne se mettait jamais en avant, n'agissait jamais par gloriole.

— Vous m'excuserez, dit-elle, mais je dois donner son biberon à Hannah.

— Comment cela ? intervint Mary Campbell. Amusez-vous donc un peu, je me charge de nourrir la petite.

A contrecœur, Rachel obtempéra et alla discuter avec les invités. La plupart étaient des voisins qu'elle rencontrait régulièrement à l'Eglise, le dimanche ou lors de ventes de charité. En trente ans de vie au ranch, elle n'avait guère eu l'occasion de se familiariser avec le voisinage. Son père était un misanthrope qui n'admettait personne chez lui. Aussi, cette fête, anodine en apparence, était-elle une petite révolution.

Cy leva son verre et réclama le silence.

— Rachel, tu es une fille pour moi. Ce jour représente un tournant dans ta vie. Je te souhaite tout le bonheur du monde. Pour Rachel, tout le monde, hip, hip, hip…

— Hourra !

— Ouvrez vos cadeaux ! dit Josh.

Rachel remarqua alors la table de l'entrée, couverte de paquets.

— Oh, mais vous n'auriez pas dû, voyons… Votre présence ici suffisait.

— Alors je propose que nous les reprenions, la taquina Cy.

Tout le monde éclata de rire.

— N'allons pas jusque-là, sourit-elle.

Un cadeau à la main, elle alla s'asseoir sur le canapé et promena un regard sur les invités : souriant, Cole la fixait avec intensité. Le cœur de Rachel se mit à battre la chamade.

Soudain, un coup sourd retentit à la porte. Doug Wills entra, un bouquet à la main.

— Veuillez m'excuser, Rachel. J'ignorais que vous aviez des invités.

— Je vous en prie, Doug, entrez. Cette fête

était une surprise. Eh bien, mes amis, voici Doug Wills.

Elle jeta un regard circulaire sur l'assemblée : Cole avait disparu.

# 6.

Depuis le local préfabriqué où il logeait, Cole entendait les rumeurs de la fête.

Il était heureux pour Rachel, pour les opportunités qui se présentaient enfin à elle. L'avenir s'ouvrait. Surtout, elle n'était plus seule, plus comme lorsqu'il était venu offrir ses services au ranch, quelques mois plus tôt. En plus de Cy, elle avait Hannah, Josh… Doug Wills, peut-être… Ce type s'intéressait beaucoup à elle.

Son cœur se serra à cette pensée. Et pourtant, si Rachel lui préférait cet homme, qu'y pouvait-il ? Il lui faudrait s'incliner, malgré ce qu'il lui en coûtait. Blessure d'orgueil ou jalousie ? Il n'avait rien à offrir à une femme comme Rachel. Elle était belle, elle était courageuse… Elle méritait le meilleur, pas un type sans attaches comme lui. Il ne saurait pas la rendre heureuse.

Pourtant, il ne supportait pas de voir d'autres

hommes flirter avec elle. Il fallait qu'il parte. Lundi… oui, lundi prochain, il s'en irait… Pour de bon.

— Cole ?

Il tressaillit et se retourna brusquement. Rachel se tenait dans l'encadrement de la porte, une assiette à la main.

— Rachel… Que faites-vous ici ?

— Je suis venue vous voir. Pourquoi êtes-vous parti ?

— J'étais fatigué. Vous abandonnez vos invités, ajouta-t-il après un court silence, désignant la maison du menton.

— Nous en sommes au gâteau. Je vous en ai apporté une part.

Elle entra et posa l'assiette sur la table de chevet. Dans l'autre main, elle tenait un paquet cadeau : celui qu'il lui avait offert.

— Vous vous amusez ?

— Beaucoup. Je n'avais jamais fait de fête, vous savez ? Merci, Cole.

— Je n'ai rien fait. C'est Cy et Mary Campbell que vous devez remercier.

— Votre modestie vous fait honneur. Permettez-moi au moins de vous remercier pour votre cadeau.

— Vous ne l'avez pas ouvert. Il ne vous plaira peut-être pas.

— Je l'aimerai forcément, puisque c'est vous qui me l'offrez. C'est d'ailleurs pour cela que je voulais l'ouvrir en votre présence. Me le permettez-vous ?

— C'est votre cadeau, dit-il en la fixant intensément de son regard gris.

Elle détacha le ruban et découvrit un petit écrin de velours : il renfermait un cœur en argent. Les doigts tremblants, Rachel porta le pendentif à hauteur de ses yeux.

— Oh, Cole… Il est magnifique !

— Il s'ouvre.

Elle s'approcha de la lampe et ouvrit le bijou : il contenait deux petites photos, l'une de Hannah et l'autre de Sarah, à l'adolescence. Trop émue pour parler, elle leva vers lui des yeux brillants de larmes.

— Mais… Comment avez-vous ?…

Cole haussa les épaules.

— Nous avons pris une photo de Hannah. L'autre, c'est Cy qui l'a trouvée.

— Etait-ce le jour où il est allé rechercher un vieux fauteuil à bascule dans le grenier ?

À ce souvenir, Cole ne put réprimer un léger sourire.

— C'était la seule façon de dénicher cette photo sans vous donner des soupçons.

— Merci, Cole. C'est le plus beau cadeau de ma vie. Je le chérirai toujours.

Il s'éclaircit la voix.

— Je suis heureux qu'il vous plaise.

Elle le regarda un instant en souriant.

— S'il vous plaît, pouvez-vous m'aider à l'attacher ?

Sans attendre sa réponse, elle se retourna et releva ses cheveux. Les doigts tremblants, Cole lui attacha le bijou autour du cou

— Voilà, dit-il. Il devrait tenir.

Il ne bougea pas. Elle non plus, d'ailleurs.

— Vous ne m'avez rien dit à propos de mes cheveux.

— J'aime vos cheveux, quelle que soit leur coupe. Mais oui, ils sont bien coiffés ainsi.

Rachel se retourna et le regarda, la main serrée sur le médaillon.

— Et j'ai aussi remarqué que tous les hommes présents à la fête vous regardaient.

— Cela m'est égal. C'est vous qui m'intéressez, pas les autres.

— Rachel, vous ne devriez pas dire cela, souffla-t-il, le regard détourné. Vous savez que je pars bientôt.

La jeune femme accusa le coup. Comme cela faisait quelques semaines que Cole ne parlait plus de son départ, elle devait s'être prise à croire qu'il avait changé d'avis.

— Mais la situation n'est plus la même, maintenant. Je peux vous payer beaucoup plus.

— Ce n'est pas une question d'argent, vous le savez bien.

— C'est ma faute, alors ?

Savait-elle comme il souffrait de lui faire de la peine ? Il l'aimait, la désirait. Elle éveillait en lui des sentiments profonds, qu'il aurait préféré garder enfouis.

— Non, Rachel. C'est juste que… j'ai besoin de changement.

— Vous pourriez vivre au ranch.

— Je n'ai pas envie de me fixer quelque part. J'ai eu une famille, mais ça n'a pas marché. Je préfère ma liberté, ajouta-t-il brièvement, le regard détourné.

— Nous avons tous besoin des autres, Cole.

— Pas moi. J'essaie de m'en sortir tout seul.

Elle s'approcha et posa les mains sur sa poitrine. Il ferma les yeux, torturé par le désir.

— Je ne vous crois pas, dit-elle d'une voix sourde. Et je sais que l'autre nuit, à San Antonio, nous nous sommes désirés.

Il ne répondit pas. Enhardie par ce silence, elle glissa les mains sur son torse.

— Si je vous l'avais demandé, ce soir-là, m'auriez-vous fait l'amour ?

— Seigneur, Rachel, mais pourquoi me posez-vous ces questions ?

— Pourquoi ? C'était une question simple.

Il soupira profondément.

— Oui, je vous ai désirée. Vous êtes une belle femme.

Elle eut un sourire timide.

— J'ai un aveu à vous faire, moi aussi. J'avais envie que vous m'embrassiez. J'en ai toujours envie maintenant.

— Il ne vaut mieux pas.

— Pourquoi ? Ne me dites pas que vous avez peur. Allez, juste un baiser d'anniversaire !

Il plongea son regard dans ses yeux brillants de confiance et de désir.

— Rachel, c'est une mauvaise idée.

— Pas du tout. Je ne suis plus une gamine de

dix-huit ans, Cole. Je suis une femme qui sait ce qu'elle veut dans la vie.

Et comme il la dévisageait, incapable de répondre, elle ajouta :

— D'accord, dit-elle. Dans ce cas, c'est moi qui vais vous embrasser.

Elle se haussa sur ses orteils et effleura ses lèvres d'un baiser léger, l'enveloppant du parfum délicat de son eau de toilette. Immobile comme une pierre, il respirait par saccades. Elle s'écarta pour le contempler de ses grands yeux aux reflets dorés, puis glissa les bras autour de son cou et posa sur sa bouche un baiser plus affirmé, plus audacieux. Toutes les résistances de Cole volèrent en éclats. Avec un soupir étranglé, il passa les bras autour de sa taille et l'attira contre lui. Ce moment divin, combien de nuits avait-il passées à le rêver, consumé de désir ? Et voilà qu'elle s'offrait à lui...

Lentement, il savoura la fraîcheur de ses lèvres fermes et pleines. Il se désaltérait à sa bouche comme un homme assoiffé dans un désert, et le miel de son baiser était pour lui comme un nectar de vie. Elle glissa les mains sur ses bras et il la pressa contre lui si fort qu'elle poussa un gémissement.

Il s'écarta et contempla son regard noyé par le désir. Au prix d'un immense effort, il recula d'un pas.

— Cole…, murmura-t-elle dans un souffle.

Mais il se détourna.

— Ne me demandez pas l'impossible, Rachel. Je vous aime beaucoup, mais nous sommes trop différents, vous et moi. Cela ne marcherait jamais, entre nous.

Elle lui jeta un regard blessé qui lui tordit le cœur. Il serra les poings.

— Vos invités vous attendent. Il serait grossier de les abandonner plus longtemps.

Rachel se dirigea lentement vers la porte, mais, avant de sortir, se retourna.

— Je n'aurais jamais cru que vous essayeriez de vous défiler ainsi.

— Croyez-moi, je ne me défile pas, murmura-t-il une fois seul.


Le lendemain matin, au terme d'une nuit sans sommeil, Rachel enfournait les gâteaux du petit déjeuner lorsque Cy et Josh entrèrent dans la cuisine.

— Bonjour, jolie trentenaire !

— Oh, bonjour, répondit-elle avec un sourire forcé. Merci encore pour la fête. Je ne m'étais pas autant amusée depuis longtemps.

— Depuis toujours, veux-tu dire. Ton père ne t'accordait jamais aucun loisir.

— S'il te plaît, Cy, ne dis pas de mal de papa. Qu'as-tu prévu pour aujourd'hui ?

— Pourquoi ? Le ménage a été mal fait ?

— Non, c'est juste que Doug Wills vient tout à l'heure pour la signature du bail. J'aimerais que tu sois là.

— Mais bien sûr ! se réjouit le vieil homme en la serrant dans ses bras. Quelle bonne nouvelle ! Tu vas enfin pouvoir effectuer les travaux sur le ranch.

— Oui. Les granges ont besoin dc réparations. Et puis, il faut impérativement remplacer le toit de la maison.

— Et ta voiture.

Rachel regarda fixement le vieil homme.

— Tu crois ?

— Allons, Rachel, c'est une antiquité. Tu pourrais la donner à Josh. Hein, Josh, qu'en dis-tu ?

— Oh, euh… je ne sais pas.

— Pourquoi pas, après tout ? dit Rachel. Il

t'est déjà arrivé de la réparer. Je me charge de payer le contrôle technique et les nouveaux pneus. A toi de régler les frais d'assurance. Ça te va ?

— Vous êtes sûre ?

— Tout à fait sûre.

Fou de joie, le jeune homme lui sauta au cou.

— Merci, Rachel. C'est le plus beau cadeau qu'on m'ait jamais offert.

— Tu l'as bien mérité. Sans toi, nous ne nous en sortirions pas.

— Oui, qui nettoierait les écuries ? plaisanta Cy.

Josh sourit, puis baissa la tête.

— Sans vous, je n'aurais pas d'endroit où dormir.

— Tu es ici chez toi, Josh. Le temps qu'il te faudra.

— Merci, dit-il avec un long soupir. Donc, quand allez-vous acheter votre nouvelle voiture ?

Au même instant, la porte s'ouvrit et Cole entra. Avec un bonjour laconique, il accrocha son chapeau à une patère et alla s'asseoir.

— Vous savez quoi ? lui dit Josh. Rachel va

s'acheter une nouvelle voiture. Elle va m'offrir l'ancienne.

Avec surprise, Rachel se rendit compte qu'elle attendait la réaction de Cole. Celui-ci leva les yeux vers elle et sourit.

— C'est vrai ?

— Oui, je n'ai qu'à payer l'assurance.

— Cela ressemble à une belle affaire.

— N'est-ce pas ? Si vous voulez, vous pouvez me donner plus de travail, ajouta-t-il à l'adresse de Rachel.

— Non, Josh. Tu en fais bien suffisamment, dit-elle en donnant sa tétine à Hannah. Par ailleurs, tu m'as prouvé que tu étais assez mûr pour posséder une voiture, mais cela ne te dispensera pas de suivre un certain nombre de règles. Et puis, je devrai en parler à Beth Nealey.

Josh opina en silence et alla sortir les gâteaux du four. Depuis l'arrivée de Hannah, Rachel avait été obligée de déléguer une partie de son travail aux trois hommes. A les voir évoluer dans la cuisine, on aurait pu songer à une famille. Ses yeux s'arrêtèrent sur Cole, s'appesantirent sur son cou puissant, ses épaules massives, son dos athlétique.

Sentant son regard posé sur lui, Cole se figea.

A quoi pensait-elle ? A leur baiser de la veille ? A d'autres moyens de le mettre au supplice ? Seigneur, sa présence le rendait fou. Il eut envie de se passer de petit déjeuner, mais un tel geste susciterait des questions. Il soupira. Lundi, il s'en irait. Encore cinq jours à tenir.

Il se versa une tasse de café et se retourna alors que Rachel rejetait la tête en arrière, riant d'une plaisanterie de Cy. Ses cheveux auburn, froissés par le sommeil, tombaient en boucles folles autour de son visage. Il secoua la tête et alla s'asseoir à table, en face de la jeune femme.

— Donc, vous allez dépenser votre héritage dans une voiture.

— Quel héritage ? Papa ne m'a pas laissé un sou.

— En es-tu sûre ? demanda Cy. Monty ne t'a rien caché ?

— Non. Je sais depuis des années que le ranch est à peine rentable. Bien sûr, Montgomery n'a jamais manifesté la moindre intention de m'aider à inverser la situation… Pas même lorsqu'il a appris qu'une société d'énergie voulait louer une parcelle du ranch.

114

— Tu veux dire qu'il escomptait te piquer l'affaire ?

Elle haussa les épaules.

— Disons qu'il voulait continuer à assumer la gestion du ranch… pour mon compte, soi-disant. Comme j'ai refusé, il a voulu m'acheter une parcelle.

— Laisse-moi deviner… La Mesa rocheuse ?

Rachel sourit.

— Exactement.

— Ah, le gredin ! Je n'en attendais pas moins de lui.

— Et je me suis fait un plaisir de lui dire que j'allais signer un contrat avec Eoliennes 21. Ce pauvre Monty, si vous aviez vu sa tête !…

— Tu as eu de la chance de tomber sur leur lettre.

— Non, j'ai eu de la chance de bénéficier des conseils de Cole.

Celui-ci leva la tête.

— Je vous en prie.

Elle n'avait pas à lui témoigner cette gratitude. Il n'avait fait que lui rendre service, comme avec n'importe qui. Mais Rachel était-elle vraiment n'importe qui ?…

\*\*

— Signez ici, dit Doug Wills.

Installée au bureau de son père, Rachel jeta un coup d'œil à Cy et à Cole et obtempéra.

— Parfait… Il me faudrait vos initiales ici… et ici aussi. Très bien. Voici votre chèque.

Soixante-quinze mille dollars ! D'excitation, le cœur de Rachel s'emballa. Jamais elle n'avait eu autant d'argent ! Allons, elle ne devait pas se laisser tourner la tête. Une partie de cette somme irait à la rénovation du ranch ; une autre l'aiderait à financer les études de Hannah.

— Et lorsque les éoliennes seront opérationnelles, vous recevrez chaque mois un pourcentage sur la vente de l'électricité. Qu'en dites-vous ?

— Cela m'a l'air tout à fait merveilleux.

— Croyez-moi, nous sommes gagnants tous les deux. Si vous avez des questions, n'hésitez pas à m'appeler, à tout moment.

— Merci, Doug.

Rachel raccompagna Doug à sa voiture sous le regard attentif de Cole. Wills s'attardait, gardait la main de Rachel dans la sienne. Tous les deux éclatèrent de rire.

— Je suis ravi de voir que Rachel se fait courtiser, remarqua Cy.

— Savez-vous quelque chose sur ce type ?

Le vieil homme haussa les épaules.

— Le révérend m'a dit qu'il va à l'église tous les dimanches. Il a fait partie du programme sportif de l'école.

— C'est un saint, donc.

— Eh, j'ai seulement dit qu'il allait à l'église le dimanche. Je ne sais pas ce qu'il fait les autres jours. Mais de toute façon, ce n'est pas ton avis qui compte. La décision revient à Rachel. Et je suis sûr que d'ici quelque temps, elle aura l'embarras du choix.

Un dîner au restaurant s'imposait. Le soir même, Rachel et les trois hommes prirent place dans la voiture de Cole et descendirent en ville. Sitôt le chèque déposé à la banque, Josh convainquit Rachel d'aller directement chez le concessionnaire automobile. La jeune femme fixa son choix sur une berline d'occasion qu'elle paya comptant, par chèque. Ils se rendirent en silence au restaurant et s'installèrent à une grande table. Rachel ne desserrait pas les dents.

— Cesse donc de te faire des reproches, la morigéna Cy. Tu en avais besoin, de cette voiture. Avec Hannah, il te faut un véhicule fiable.

— Oui, je sais, soupira la jeune femme. Donc, pour toi, c'était une bonne affaire ?

— Une très belle affaire, même. Et le vendeur t'a fait une fleur énorme, avec cette extension de garantie.

— Qu'allez-vous acheter d'autre ? demanda Josh.

— Le repas, et c'est tout.

— Dans ce cas, je prends le plus gros steak du menu, plaisanta Cy.

Un homme blond, de belle prestance, s'approcha de leur table en souriant.

— Excusez-moi… Etes-vous Rachel… Rachel Hewitt ?

— Oui, répondit la jeune femme avec un froncement de sourcils interrogateur.

L'homme lui tendit la main.

— Vince Hayden. Nous étions au lycée ensemble.

— Oh, Vince… Oui, je me rappelle, maintenant. Cela me fait plaisir de te voir.

— Moi aussi. Tu es magnifique ! fit-il en la caressant du regard.

— Merci, répondit-elle, vaguement gênée.

Au même instant, Hannah hoqueta et se mit

à pleurer. Rachel la prit dans ses bras en lui tapotant le dos, sans parvenir à la calmer.

— Je vais chercher son biberon, dit Cole.

La jeune femme se retint de le rappeler et lança un coup d'œil à Cy, amusé de la situation.

— Je vois que tu es mariée… Félicitations !

— Non, non. Hannah est ma nièce, mais c'est moi qui l'élève. Cole travaille dans mon ranch.

*Pourquoi se justifiait-elle ?*

— Je vois, répéta Vince en souriant. Tu continues donc de vivre dans le ranch de ton père ?

— Oui, je viens d'en hériter.

— J'en suis très heureux pour toi. Bien, Rachel, j'ai été ravi de te revoir.

Saluant Josh et Cy d'un signe de tête, il s'en alla.

— Waouh, Rachel, c'était Vince Hayden, souffla Josh… Le meilleur quart arrière du club de l'école. Il a même joué au niveau national !

Rachel suivit Vince du regard. Alors qu'il se dirigeait vers la sortie, il croisa Cole et échangea quelques paroles avec lui.

— Nous étions dans la même école, dit-elle à Josh. Ce qui m'étonne, c'est qu'à l'époque, il ne m'a jamais adressé la parole.

— Eh bien, maintenant, il vous remarque, observa le jeune homme avec un grand sourire.

Oui, sauf que Vince n'intéressait pas Rachel. Comme Cole s'approchait avec une démarche chaloupée, féline, une chaleur sourde se répandit en elle.

C'était lui qu'elle voulait. Cet homme, et pas un autre.

# 7.

Cole laissa échapper un juron. Après les pluies de ces derniers jours, le pré était complètement détrempé. Ils auraient dû savoir que le 4x4 allait s'embourber...

— Non ! cria-t-il à Josh, installé au volant. Appuie sur l'accélérateur et lâche le frein à main. Arrête. Ça ne marche pas. Il faut tenter autre chose.

Josh sortit de voiture et pataugea dans la boue tandis que Cole prenait des pelles dans le coffre.

— Tiens. Creuse.

Les deux hommes se mirent au travail.

— Je suis désolé, Cole.

— De quoi ? Ce n'est pas ta faute.

Le jeune homme s'interrompit dans sa tâche.

— Cole... Puis-je vous poser une question ?

— Bien sûr. Seulement, je ne te garantis pas la réponse.

— Eh bien, c'est que… Je souhaiterais savoir comment inviter une fille à sortir.

Décontenancé, Cole enleva son chapeau et s'essuya le front.

— C'est difficile à dire… Je pense que le plus simple serait de le lui demander carrément. Veux-tu parler d'Amy Campbell ?

Josh hocha la tête.

— Elle est si jolie. Je n'arrive pas à croire qu'elle accepte de me parler.

— Pourquoi ? Elle s'intéresse à toi, c'est tout.

— Vous croyez ?

— Il n'y a qu'une seule manière de t'en assurer, répondit-il avec un haussement d'épaules. Va la voir.

Josh pencha la tête de côté, l'air songeur, puis reprit son travail.

— Aller chez elle ? Mais… pour lui parler de quoi ?

— Je ne sais pas, moi. De musique, du lycée… Du fait que tu vas bientôt avoir ta voiture.

Cole jeta la pelle de côté.

— Bon, reprends le volant et appuie sur l'accélérateur.

Le garçon s'exécuta et Cole, les mains plaquées sur le garde-boue arrière, poussa de toutes ses forces. Les roues patinèrent puis, enfin, la voiture trembla et se dégagea. Josh arrêta le véhicule et mit pied à terre.

— Oh, Cole, je suis désolé, sourit-il en le voyant tout couvert de boue.

— Vraiment ? On ne le dirait pas.

— Si, si, je vous le jure !

Le garçon éclata de rire.

— Attends un peu, tu vas voir, dit Cole en se baissant pour ramasser une poignée de boue.

Josh courut se réfugier devant le véhicule.

— Non, Cole. Je suis désolé d'avoir ri.

— Peux-tu répéter ?

— Je suis désolé ! Juré ! Je ferai ce que vous voulez. Je laverai votre linge.

Cole s'arrêta.

— Mais encore ?

— Je laverai votre voiture. Je…

Il s'interrompit, l'attention attirée par quelque chose, et agita le bras.

— C'est Rachel, dit-il.

*Rachel* ? Que venait-elle faire ici ? se demanda Cole. Hannah était-elle malade ?

Il se retourna. C'était bien elle, droite, majestueuse sur son cheval, les joues rosies par le vent, les cheveux tourbillonnants.

— Tout va bien ?

— Oui. Hannah fait sa sieste. Cy est resté pour la surveiller. Vous, en revanche, vous semblez avoir eu quelques petits soucis, ajouta-t-elle en mettant pied à terre.

— Nous nous sommes embourbés.

— Je vois cela, dit-elle avec un sourire amusé.

Cole éprouva un léger pincement à l'estomac.

— Qu'est-ce qui vous amène ici ? demanda-t-il avec brusquerie.

Les cheveux ébouriffés par une rafale de vent, la jeune femme enfonça son chapeau sur sa tête.

— Amy est passée à la maison et...

— Amy est venue ? l'interrompit Josh.

— Oui. Je lui ai demandé si elle pouvait garder Hannah quelques heures par jour, avant de reprendre l'école. Cela me dégagerait du temps pour le travail du ranch. Elle a oublié son portable à la maison et a téléphoné pour demander si tu pouvais le lui rapporter.

L'adolescent rougit violemment.

— Moi ?

Rachel lui tendit le téléphone portable.

— Prends mon cheval. Moi je rentrerai avec Cole, en voiture. Ne reviens pas trop tard, c'est tout.

— C'est vrai ?

Le jeune homme lança un coup d'œil hésitant à Cole.

— J'ai un travail à terminer…

— Vas-y, dit Cole. Je peux me débrouiller tout seul. Mais souviens-toi : tu as promis de laver mon linge.

— Promis, dit Josh en sautant à cheval. Merci Rachel… Merci, Cole.

Puis, tirant sur les brides, il partit au galop. Rachel le suivit du regard et soupira.

— Pourquoi ai-je l'impression de l'abandonner à une autre femme ?

— Ne dites pas cela. Ce gamin tient à vous. Vous lui avez donné du travail, un foyer.

— Il vous révère comme un héros.

Cole haussa les épaules.

— Je ne crois pas.

— Allons, Cole. Vous lui parlez, mais surtout, vous l'écoutez.

Le vent se renforçait et de lourds nuages noirs obscurcirent le soleil.

— On dirait qu'il va y avoir de l'orage, observa Cole. Nous ferions mieux de rentrer.

Comme ils se dirigeaient vers la voiture, Rachel glissa dans la boue. Cole n'eut que le temps de la rattraper.

— Ça va ?

Elle hocha la tête, le regard accroché à ses yeux gris.

— Par temps de pluie, ces chemins sont quasiment impraticables, poursuivit-il en la redressant. Je n'ai pas envie de vous voir avec une jambe cassée.

— Moi non plus, murmura-t-elle.

Elle referma les mains sur ses bras.

— Rachel, arrêtez de me regarder comme cela, vous me rendez fou.

Elle sourit et glissa lentement les mains sur ses avant-bras musculeux. Un long frisson le parcourut.

— Allons, Cole, nous sommes amis.

Un éclair zébra le ciel et de grosses gouttes s'écrasèrent sur le sol.

— Venez, rentrons dans la voiture, dit-il.

Il l'aida à gagner la portière du siège passager, qu'il ouvrit.

— Attendez, ordonna-t-il comme elle entrait dans l'habitacle.

Enlevant sa chemise, il en recouvrit le siège.

— Josh a nettoyé la voiture, expliqua-t-il avant de gagner son siège.

Non sans hardiesse, la jeune femme détailla en silence ses larges épaules, son torse soulevé par une respiration précipitée. Un étrange désir s'empara d'elle.

— Nous ferions mieux de rentrer rapidement si nous ne voulons pas rester coincés, dit-il.

Elle opina, songeant qu'elle n'aurait rien tant aimé que de rester coincée avec lui, dans cette voiture, sous la pluie battante.

A 11 heures du soir, trop énervé pour dormir, Cole se leva pour aller voir les chevaux. Les orages se succédaient depuis des heures, et une alerte à la tornade était maintenue jusqu'à minuit. Heureusement, Josh n'avait pas eu de problème pour rentrer.

Dehors, Cole huma l'air tiède de la nuit. Une petite pluie fine lui cingla le visage. Il régnait une tranquillité trompeuse, inquiétante. Des bourrasques intermittentes faisaient vaciller les lanternes et claquer les volets. Tout cela ne lui disait rien qui vaille : au Texas, les éléments entrent souvent dans des fureurs aussi soudaines que dévastatrices.

Il se tourna vers la fenêtre de la chambre de Rachel. Pendant le repas, elle avait assuré qu'elle savait comment se protéger en cas de tornade. De toute façon, si le pire devait arriver, elle pourrait toujours se réfugier avec Hannah dans l'abri souterrain. Seulement, y songerait-elle, dans la panique du moment ?

Dans la grange, Cole constata tout de suite que les animaux étaient aussi énervés que lui. Il se dirigea vers le box de Duke, un splendide étalon à la robe châtain qui piaffait de nervosité.

— Comment ça va, mon vieux ? murmura-t-il en lui caressant le museau. Toi non plus, tu n'arrives pas à dormir ?

Le cheval secoua la tête comme pour acquiescer. Cole sourit. Cette bête allait lui manquer. Dès le jour de son arrivée au ranch, il s'était pris d'affection pour elle. Lorsqu'il avait demandé à Rachel s'il pouvait monter ce cheval en particulier, elle avait cligné des yeux, surprise. Plus tard, il avait appris que Duke avait été le cheval de Gib Hewitt.

Aucun doute que le vieux Gib n'aurait guère apprécié la manière dont sa fille gérait le ranch. Pourtant, avec ce bail de terrain, elle avait maintenant une source de revenus assurée, et un avenir. Il pouvait s'en aller la conscience tranquille.

Une bourrasque soudaine fit claquer la porte et craquer les poutres. Duke hennit et les autres chevaux l'imitèrent.

— Houlà, mon vieux. Pas de quoi s'effrayer, c'est juste le vent.

Au même instant, une trombe de vent et de pluie fit trembler le vieux bâtiment. Les lumières vacillèrent et s'éteignirent. On entendit alors un vacarme assourdissant, comme celui d'un train lancé à pleine vitesse. Cole comprit immédiatement ce qui se passait. Il n'y avait pas une seconde à perdre. Il se rua vers la maison et trouva Cy et Josh dans l'entrée.

A l'étage, Rachel se précipita dans la chambre de Hannah, saisit l'enfant d'un geste brusque et courut vers la porte. Une énorme branche d'arbre fracassa la fenêtre et s'abattit à travers la pièce, frappant de plein fouet la jeune femme qui tomba, renversée par le choc. Les yeux remplis de larmes, elle embrassa le front du bébé.

— Ne pleure pas, ma chérie. Tout ira bien. Maman est là.

Au milieu des bourrasques de pluie, elle entendit la voix de Cole :

— Rachel !

— Nous sommes dans la chambre de Hannah !

Le halo d'une lampe-torche l'éblouit.

— Rachel, êtes-vous blessée ? Comment va Hannah ?

— Elle n'est pas très contente, comme vous pouvez l'entendre, mais elle n'a rien. Moi-même, je me sentirais beaucoup mieux si vous m'aidiez à me dégager de cette branche.

— Je vais voir ce que je peux faire.

— Et Cy, Josh ? Ont-ils pu se mettre à l'abri ?

— Nous sommes là, intervint Cy, du seuil de la chambre. Ne t'inquiète pas pour nous, nous allons bien.

— Nous allons vous sortir de là, Rachel. Josh, suis-moi.

130

Dans l'obscurité entrecoupée d'éclairs blafards, Cole se fraya un passage entre les débris et s'accroupit à côté d'elle. Elle prit sa main et la serra fort.

— Comment vous sentez-vous ?

— J'ai mal.

— Ne bougez pas. Je vais prendre Hannah.

Il retira délicatement l'enfant et la tendit à Cy, puis revint vers Rachel. Il lui caressa le visage en guise de réconfort.

— Rachel, écoutez. Nous allons vous sortir de là, mais pour cela, vous devez nous aider. Josh et moi, nous allons soulever cette branche et vous devrez rouler vers la droite. Vous en sentez-vous capable ?

— Oui, je le crois.

— Bien.

Sans réfléchir, il se pencha vers elle et l'embrassa. Puis, se redressant :

— Josh, mets-toi de l'autre côté. Rachel, je vais compter jusqu'à trois, puis vous roulerez sur le côté. D'accord ?

— Oui.

— Tu y es, Josh ? Un, deux, trois.

Les deux hommes soulevèrent la branche

et Cole entendit la jeune femme pousser un gémissement sourd.

— Ça y est, haleta-t-elle.

Ils reposèrent leur charge. Cole enjamba la branche et se baissa vers elle.

— Sentez-vous vos jambes ?

— Oui. Elles me font même très mal.

Avec beaucoup de douceur, il palpa ses membres et se rendit compte qu'elle frissonnait : des rafales de pluie se déversaient par les vitres cassées.

— J'hésite à vous déplacer. J'ai peur que vous ne soyez blessée.

— Je n'ai rien. Je veux voir si Hannah va bien, dit-elle en essayant de s'asseoir.

A contrecœur, Cole l'aida à se lever puis la porta jusque dans sa chambre et l'allongea sur son lit. La jeune femme tendit les bras et prit l'enfant en grimaçant de douleur.

— Tout va bien, Hannah. Maman est là.

Au bout d'un moment, les cris de l'enfant s'apaisèrent. Alors, étranglée de sanglots, Rachel laissa couler ses larmes. Elle sentit qu'on s'asseyait à côté d'elle.

— Là, tout va bien, Rachel, dit Cole d'une

voix douce. Hannah est saine et sauve, et vous aussi.

Pleurant sans retenue, elle s'abandonna à son étreinte consolatrice. C'était si bon, de se laisser parfois aller à la tendresse...


Deux heures plus tard, Cole patientait en salle d'attente des urgences. Une jeune infirmière blonde se dirigea vers lui.

— Le Dr Harris souhaiterait vous parler. Si vous voulez bien me suivre, dit-elle en le guidant vers une chambre.

Rachel était assise dans un lit, le front bandé et le bras en écharpe. Hannah dormait dans un couffin, à portée de bras.

— Tout va bien ?

Oui. Nous n'avons rien, ni l'une ni l'autre. Juste envie de rentrer.

Un homme d'âge moyen, en blouse blanche, entra.

— Bonjour. Je suis le Dr Harris. Mlle Hewitt a eu énormément de chance. Elle s'en est sortie avec une contusion à l'épaule et au bras. J'aurais aimé la garder une nuit, mais elle insiste pour rentrer chez elle. Elle m'assure que vous la veillerez ces vingt-quatre prochaines heures.

Rachel implora Cole du regard.

— Oui, dit-il. Bien sûr.

Le médecin hocha la tête, puis se tourna vers la jeune femme.

— Je souhaiterais vous voir à la fin de la semaine. Et souvenez-vous : je vous interdis de vous servir de votre bras. Assurez-vous qu'elle prenne bien ses médicaments, ajouta-t-il à l'adresse de Cole, en lui tendant une ordonnance.

Cole emporta le bébé dans la salle d'attente tandis qu'une infirmière aidait Rachel à s'habiller. Quelques instants plus tard, elle le rejoignit, le visage marqué par la douleur et la fatigue. Avec douceur, Cole posa son manteau sur ses épaules.

— Allez, venez. Direction la maison et au lit.

— Ce dont j'ai besoin, c'est qu'on vienne réparer cette fenêtre cassée.

— Cy va prendre contact avec un artisan dès demain matin. Occupez-vous seulement de guérir.

Ils s'arrêtèrent devant la voiture.

— Mais, Cole, il faut bien que quelqu'un

s'occupe du ranch. J'ai besoin d'embaucher un autre cow-boy.

Cole posa le couffin sur le siège arrière et attacha le bébé, puis referma la portière.

— Vous verrez cela plus tard.

— Vous savez très bien que Cy n'est pas capable de s'en sortir tout seul.

Il posa un doigt sur les lèvres de la jeune femme et le retira brusquement.

— C'est bien pour cela que je reste.

Bouche bée, Rachel le regarda fixement.

— Mais vous voulez partir. Vous aviez dit...

— Je sais, mais je ne peux pas vous laisser dans ces conditions.

— Je peux me débrouiller, Cole, je vous assure.

— Bien sûr. C'est bien cela qui me fait peur. Donc, je reste pour vous aider jusqu'à ce que le médecin vous déclare apte à travailler. Inutile de discuter.

Elle le regarda longuement.

— Ecoutez, Cole, vous n'avez pas besoin de faire cela pour moi. Je peux embaucher quelqu'un d'autre.

— Oui, Rachel, soupira-t-il, mais il vous faudra

ensuite le former, alors que nous avons déjà les réparations de la maison à superviser.

— Et alors ? Vous avez l'air de me prendre pour une invalide. Et puis, Amy viendra m'aider pour Hannah.

— On dirait que vous tenez à vous débarrasser de moi. Pourquoi avez-vous tant de mal à accepter mon offre ?

— Je refuse votre charité. Je sais le prix que vous attachez à votre liberté, et je ne veux surtout pas vous retenir.

— Vous avez raison, Rachel.

Du bout des doigts, il effleura sa joue, ronde et douce comme une pêche.

— Vous et moi, nous savons que mon séjour au ranch est appelé tôt ou tard à se terminer. Mais pour l'instant, vous avez besoin de moi. Par conséquent, ne refusez pas mon aide.

Au bout d'un long silence, la jeune femme hocha la tête.

— Bien. Mais en contrepartie, j'augmente vos appointements. C'est à prendre ou à laisser.

Cole ne put réprimer un sourire.

— Comme vous êtes dure en affaires.

\*
\* \*

Nichée dans la douce chaleur de son lit, Rachel somnolait. Une voix tendre perça le coton de son sommeil.

— Réveillez-vous… Allons…

Elle gémit.

— Allons, Rachel, montrez-moi vos beaux yeux.

— Cole…

— Oui, c'est moi.

— J'ai mal…

— Je sais. Vous vous sentirez beaucoup mieux après avoir pris ces médicaments.

La jeune femme se redressa péniblement, cligna les paupières. Elle sentit le bras de Cole autour de ses épaules et appuya la tête contre son torse. Comme elle se sentait nauséeuse… Elle leva vers lui des yeux ensommeillés et papillotants.

— Cole…

— Vous attendiez-vous à voir quelqu'un d'autre ?

Elle reposa sa tête contre sa poitrine.

— Cela, je ne vous le dirai jamais.

Il souleva légèrement son menton fin et délicat.

— Comment vous sentez-vous ?

— J'ai sommeil… et je suis endolorie de partout.

Il redressa doucement l'oreiller et ouvrit un flacon sur la table de chevet.

— Tenez, ceci devrait vous faire du bien.

Docile, elle prit son médicament et retomba sur l'oreiller, épuisée. Comme Cole se retirait, elle attrapa sa main.

— S'il vous plaît, ne partez pas, murmura-t-elle.

— Il faut que j'aille m'occuper de Hannah.

— Oh, Hannah… Il faut que je lui donne son biberon, dit-elle en repoussant les draps.

— C'est inutile. Elle a eu son biberon il y a une heure.

Les yeux de la jeune femme se remplirent de larmes.

— Je ne l'ai même pas entendue pleurer.

— Tout simplement parce que Cy et moi avons veillé à ce qu'elle ne vous réveille pas.

Il s'assit sur le lit et repoussa ses cheveux d'un geste tendre.

— Vous n'êtes pas en état de vous occuper de la petite, Rachel. Laissez-vous dorloter un peu.

Elle soupira, et ferma les yeux.

138

— Je n'ai pas le choix, n'est-ce pas ?

Cole sourit.

— Merci, Cole, reprit-elle. Merci pour tout.

Elle porta sa main à ses lèvres et l'appuya contre sa joue.

— Pourriez-vous rester un instant ? Le temps que je me rendorme.

Il l'allongea plus confortablement sur l'oreiller.

— Comme vous voudrez.

Sans réfléchir, il se pencha et lui posa un léger baiser sur les lèvres.

*Oh, si c'était un rêve, pour rien au monde elle n'aurait voulu se réveiller.*

Rachel avait passé trois journées au lit. Trois journées à dormir, à écouter le tintamarre des artisans, à ronger son frein. Trois journées sans Hannah, confiée aux bons soins d'Amy.

Elle récupérait lentement, même si son bras restait endolori, et, fatiguée de sa torpeur médicamenteuse, elle avait cessé de prendre des antalgiques. Contrainte à l'inactivité, elle décida de réfléchir à la rénovation et à la décoration intérieure de la maison. Ce ranch en avait bien besoin : Gib l'avait négligé pendant des années. Dans certaines pièces, le papier peint avait plus de vingt ans ; partout, la peinture écaillée nécessitait un rafraîchissement ; il aurait fallu remplacer le linoléum dans la cuisine…

Elle était plongée dans ces réflexions lorsque Amy frappa à la porte.

— J'ai couché Hannah pour sa sieste.

— Amy, qu'est-ce qui t'arrive ? demanda Rachel, alarmée par la pâleur de la jeune fille.

— Je ne me sens pas très bien. Je viens de téléphoner à ma mère. Elle vient me chercher tout de suite. Je crois que mes frères m'ont passé la grippe.

Une demi-heure plus tard, après le départ d'Amy, ce fut Cy qui se présenta à la porte.

— Josh ne se sent pas bien.

— Oh, non. Amy lui aura passé ses microbes.

Cy fronça les sourcils.

— Es-tu sûre que tu t'en sortiras ?

— Mais oui. Va donc porter une canette de soda à Josh et assure-toi qu'il garde le lit.

Quelques heures plus tard, Cy était lui-même alité. Rachel se leva et descendit dans la cuisine pour préparer un biberon. Bientôt, Cole entra.

— On dirait que vous ne pouvez pas vous débarrasser de moi aussi facilement.

— Que voulez-vous dire ?

— Tout simplement que je suis la dernière personne capable de m'occuper de vous et de la petite. Dans quelle pièce voulez-vous que je dorme ?

# 8.

Cole s'était installé dans la chambre d'amis pour pouvoir s'occuper de Hannah. A cette heure tardive, toute la maison était plongée dans le silence, mais malgré la fatigue, il ne trouvait pas le sommeil. Rachel dormait dans la pièce d'à côté. En tendant l'oreille, il croyait entendre son souffle, le bruissement des draps. Son imagination s'épuisait en chimères. Jamais femme ne l'avait ainsi mis sur des charbons ardents.

Tout à coup, le moniteur placé sur la table de chevet émit un gémissement léger : Hannah était réveillée. Cole se leva, enfila un jean et se dirigea vers la chambre de l'enfant.

Lorsqu'elle le vit, Hannah agita ses menottes et ses jambes avec enthousiasme. Cole ne put réprimer un sourire attendri.

— Alors, ma toute belle, tu n'arrives pas à dormir ?

Le bébé répondit par un petit cri.

— Tu as faim, n'est-ce pas ?

Il la prit dans ses bras et la porta jusqu'à la table à langer en s'efforçant de se rappeler les instructions de Rachel : retirer la couche mouillée, laver le bébé à l'eau tiède, lui remettre une couche propre. Où était la pommade ?

— Voilà. On est beaucoup mieux comme cela, hein ?

Hannah gazouilla.

— Tout à fait, répondit Cole. Maintenant, mademoiselle va prendre son biberon. Ouplà !

Le bébé dans les bras, il se rendit dans la cuisine. Rachel l'entendit comme il passait devant sa chambre. Curieuse, elle enfila sa robe de chambre, descendit l'escalier et s'arrêta dans le salon en entendant la voix de Cole :

— Ta maman te manque ? Oui, je comprends. Il va te falloir te contenter de moi pendant quelques jours, le temps qu'elle guérisse.

La petite gémit.

— Allons, ne pleure pas, ma toute douce. Ça va bien se passer, entre nous, tu verras.

En guise de réponse, Hannah gazouilla.

— Mais oui, ma chérie. Bien, où en est ton biberon ? Ah, il est presque prêt.

144

Rachel glissa un regard par l'entrebâillement : Cole s'asseyait près de la table, l'enfant nichée contre son torse dénudé.

— Eh, mais c'est que tu avais faim ! Ça ne m'étonne pas : une grande fille comme toi, obligée de se contenter de lait…

Comme s'il avait senti la présence de la jeune femme, Cole se tourna vers la porte.

— Rachel… Je ne vous avais pas entendue.

— Vous êtes occupé, à ce que je vois, dit-elle en entrant dans la cuisine.

— Nous vous avons réveillée ?

— Non. J'ai du mal à dormir, cette nuit.

Elle prit une chaise et caressa la tête du bébé, remarquant avec plaisir que Hannah tournait la tête en direction de sa voix.

— Vous semblez dissimuler cette facette de vous-même.

— Je ne vois pas de quoi vous voulez parler, dit-il en la regardant droit dans les yeux. De toute façon, il est impossible de parler à un bébé sans bêtifier un peu.

— Vous avez un don avec les enfants. Dès le début, vous avez eu un très bon contact avec Hannah.

— Oh, Hannah est une petite charmeuse.

Rachel resta un instant silencieuse.

— C'est très gentil de vous occuper d'elle, dit-elle enfin. Je sais que ce n'est pas facile, pour vous.

Cole détourna le regard.

— Ça va, répondit-il laconiquement. Il faut faire avec le passé, n'est-ce pas ? ajouta-t-il après un silence.

Il posa l'enfant contre son épaule pour lui faire faire son rot.

— Je suis désolée, Cole.

— Pourquoi ? Et puis, c'est vieux, tout cela, maintenant.

Elle s'approcha de lui et posa la main sur son bras. Sa tendresse mettait Cole au supplice. Il ne la méritait pas. Il avait failli à son fils et à sa femme. Le passé était ce qu'il était : irréparable.

— Vous êtes quelqu'un de bien, Cole.

Il haussa les épaules. Rachel lui prit la main et se pencha vers lui, effleurant ses lèvres d'une caresse qui le rendit fou. Avec un soupir, il passa un bras autour des épaules de la jeune femme et s'empara de sa bouche avec fougue. Il l'embrassait éperdument, avec une voracité exacerbée

146

par une trop longue privation, et sentit qu'elle enfonçait les doigts dans son avant-bras.

Mais Hannah gémit, et il s'écarta, le regard détourné.

— Rachel, vous me faites faire des folies.

— Cole…, commença-t-elle.

— Vous vous faites des idées sur moi. Au bout du compte, je finirais par vous décevoir. Tôt ou tard.

Il se leva et, berçant dans ses bras Hannah qui sommeillait, posa l'enfant dans le couffin.

— Je vais la coucher, dit-il, le dos tourné.

Immobile, Rachel le regarda s'en aller. Elle ne le rappela pas.

— Si vous saviez comme je suis rassuré, Rachel. Et comme j'aurais voulu être là pour vous aider.

Doug Wills recula d'un pas pour observer le travail de la demi-douzaine d'ouvriers qui, dès cette heure matinale, s'affairaient sur le toit du ranch.

— J'étais en déplacement. Je n'ai rien su de cette tornade avant mon retour, hier soir.

— Vraiment, Doug, vous n'avez pas à vous sentir coupable. Les dégâts ne sont que matériels.

— Ne dites pas cela. Vous avez été blessée.

— Mais non : une légère contusion, rien de grave, vraiment. Hannah n'a rien, c'est le principal. Le docteur dit que je serai complètement guérie dans quelques jours. Comme vous le voyez, les réparations sont presque terminées. Nous avions besoin d'un nouveau toit, de toute façon.

— Comment vous débrouillez-vous, avec le bébé ?

— J'ai de l'aide : Amy et Cole.

— Si je peux faire quoi que ce soit…

Rachel leva la main.

— Je sais, Doug, et je vous remercie, mais je vais bien. Vraiment. Et puis, ne serait-ce pas aller au-delà de vos devoirs ?

— Il ne s'agit pas d'un devoir, répondit-il en souriant. Je m'inquiète pour vous.

Elle le regarda avec sympathie. Pourquoi n'était-elle pas davantage émue ? Doug était un homme sérieux, serviable, plutôt beau garçon. Il aurait certainement fait un bon mari, un bon père.

— Ecoutez, Doug, je suis reconnaissante de toute l'aide que vous m'avez apportée, lors de la signature des contrats. Toutefois, vous comprendrez qu'en ce moment, Hannah est au centre de mon existence. Je ne suis pas prête à entamer une liaison... avec personne.

Doug la regarda longuement, puis soupira.

— Je mentirais en prétendant que je ne suis pas déçu. Je savais que vos préférences allaient à un autre.

— Je vous dis qu'il n'y a personne.

— Allons, Rachel, je ne suis pas aveugle. J'ai deviné depuis le début qu'il y avait quelque chose entre vous et Parrish. Dès que vous êtes ensemble, l'air se charge d'électricité.

Elle écarquilla les yeux, ouvrit la bouche puis la referma.

— Peut-être, dit-elle enfin, mais Cole ne répond pas à mes sentiments. Cela va faire un mois qu'il me parle de partir.

Doug haussa les épaules.

— Si vous voulez mon avis, il n'a pas l'air très pressé.

— Maman est occupée, ma puce, murmura Cole en plongeant Hannah dans un baquet en plastique, à côté de l'évier. Ce matin, c'est moi qui m'occupe de ton bain.

Soulevant l'enfant d'une main, il entreprit de la savonner doucement.

— Là, on est bien, comme ça, n'est-ce pas ? Mais oui !

En voyant les grands yeux confiants de la petite, Cole se prit à sourire. Comme elle ressemblait à Rachel !… Elle avait la même fossette au menton… le même sourire… le même regard…

Hannah éternua.

— Ouh là, on dirait que tu attrapes froid. Attends, je vais te rincer. Voilà : toute belle.

Après avoir enveloppé l'enfant d'une grande serviette, il l'allongea sur la table à langer et lui mit une couche propre.

— Maintenant, les vêtements. Cette petite robe rose est tout à fait ravissante. Mais oui, c'est bien mon avis, répondit-il à la petite qui gazouillait.

Il couchait Hannah dans le couffin lorsque Rachel entra dans la cuisine.

— Oh, j'ai raté son bain.

— Nous avons tout juste terminé. Si vous voulez, vous pouvez regarder derrière ses oreilles.

— Ce n'est pas la peine. Je vous fais confiance.

Doug vient de passer, dit-elle d'un ton dégagé, en s'asseyant.

Le visage de Cole s'obscurcit.

— Pourquoi ? Y a-t-il un problème avec le bail ?

— Non. Il venait pour moi.

Elle se pencha vers Hannah pour la caresser.

— Il voulait m'inviter à sortir.

Elle leva les yeux vers Cole, mais il ne réagit pas. Déçue, elle reporta son attention sur Hannah :

— Vous devriez sans doute la coucher.

Cole hocha la tête et suivit la jeune femme à l'étage. Pendant la durée des travaux, Hannah dormait dans une petite pièce à l'écart du bruit. Rachel allongea l'enfant dans le berceau et la borda en lui chantant une berceuse. Comme elle sortait de la chambre à pas de loup, elle faillit bousculer Cole.

— Elle dort ? demanda-t-il en glissant un coup d'œil par l'entrebâillement de la porte.

Rachel opina en silence. Avec sa chemise trempée, aux manches relevées à mi-bras, ses cheveux décoiffés, une serviette de bébé jetée sur l'épaule, il ne lui avait jamais semblé aussi sexy.

— Vous devriez peut-être aller vous sécher.

Il jeta un coup d'œil à sa chemise.

— Votre fille aime beaucoup jouer, dit-il en souriant.

Le cœur de Rachel se serra.

— Ma fille… C'est vrai, on peut bien l'appeler comme cela, n'est-ce pas ?

— Oui. Depuis le jour où vous l'avez ramenée de l'hôpital.

— J'aimerais tellement pouvoir m'occuper d'elle.

— Ce n'est qu'une question de jours. Pour l'heure, vous devez suivre les recommandations du médecin.

— C'est que je n'ai pas l'habitude de passer mes journées à ne rien faire.

— Allons, Rachel, vous méritez bien de vous reposer un peu. Depuis mon arrivée, je vous ai toujours vue vous acharner au travail.

— Ce n'est rien. J'ai l'habitude.

— Sauf qu'à présent, vous avez les moyens d'embaucher une aide.

— Les choses ne sont pas aussi simples. Les ranchers compétents ne sont pas si nombreux.

C'était un mensonge. La vérité, c'était qu'elle avait devant elle un homme à sa convenance. Seulement, elle ne savait pas comment le garder.

— Si vous voulez bien m'excuser, Rachel, il faut que j'aille m'occuper des bêtes.

Rachel hocha la tête. Tout à coup, un immense sentiment de vide l'envahit. Cole partait au travail, Hannah dormait, Cy et Josh étaient encore alités. Que faire ? Passer une journée supplémentaire au lit ? L'idée lui répugnait. Un peu de ménage lui changerait les idées. Elle alla aussitôt défaire les lits, puis, de son bras valide, descendit les draps à la machine à laver. Ensuite, elle fit réchauffer une soupe de poulet mitonnée la veille par Mary. Après avoir jeté un coup d'œil à Hannah, elle remplit deux assiettes de soupe qu'elle posa sur un plateau et se rendit dans le logement du contremaître.

Cy, encore pâle, se remettait lentement de sa maladie.

— Comment te sens-tu ?

— Rachel, tu ne devrais pas te lever.

Comme il essayait péniblement de s'asseoir dans son lit, Rachel posa l'assiette sur la table de chevet et adossa Cy contre l'oreiller.

— Quelqu'un doit bien s'occuper de toi.

— Mais non, voyons. Je ne suis tout de même pas à l'article de la mort.

— Ça tombe bien, moi non plus, sourit-elle. Que dirais-tu d'un peu de soupe de poulet ?

— Ma soupe préférée. Merci, Rachel.

Elle se rendit ensuite dans la chambre de Josh. Alité, lui aussi, il regardait un match de baseball sur un vieux poste de télévision.

— On dirait que tu vas mieux, aujourd'hui.

Le jeune garçon leva la tête avec un grand sourire.

— Oh, salut, Rachel. Je me sens beaucoup mieux, oui. Et je meurs de faim.

— Ah, c'est bon signe. Je t'ai apporté de la soupe.

— Super, se réjouit-il en s'asseyant dans son lit. Si vous voulez, je peux donner un coup de main à Cole, cet après-midi.

— Non. Repose-toi encore un peu. Demain, nous verrons. Cole se débrouille tout seul.

— J'aurais bien aimé téléphoner à Amy, dit Josh en fronçant les sourcils. Hier, elle n'allait pas bien du tout.

— Veux-tu que j'appelle sa mère ?

— D'accord, concéda-t-il sans pouvoir dissimuler sa déception. Mais vous lui direz que j'espère qu'elle se rétablira vite ?

— Bien sûr.

Après avoir ramassé les vêtements sales des trois hommes pour en faire la lessive, Rachel se mit en devoir de préparer un rôti. Lorsque Cole revint de son travail, elle était en train de faire chauffer un biberon.

— Je suis désolé de m'être absenté si longtemps, dit-il en accrochant son chapeau à une patère. Un veau s'était pris dans les barbelés.

Rachel lui lança un regard inquiet.

— Comment s'en est-il tiré ?

— Sans trop de mal, répondit-il en se lavant les mains. J'avais de la pommade antiseptique dans la voiture. Je vais le surveiller pendant quelques jours.

Le moniteur émit soudain un léger gémissement.

— On dirait que notre petite princesse est réveillée. Je vais la chercher.

Une minute plus tard, il descendait avec Hannah.

— J'ai très envie de lui donner le biberon, dit Rachel. Je vais la porter avec mon bras valide.

Avec précaution, il plaça l'enfant au creux

de son bras, contre un sein rond et ferme qu'il effleura en dégageant sa main.

— Excusez-moi, balbutia-t-il avant de tomber sur une chaise.

Il fallait qu'il pense à autre chose, vite !

— Cy et Josh ont-ils de l'appétit ?

— Je leur ai apporté de la soupe il y a environ une heure. Josh se sent déjà beaucoup mieux, à tel point qu'il veut se lever pour aller voir Amy.

— Comment va-t-elle ?

— Elle se rétablit. J'ai téléphoné à sa mère tout à l'heure. Elle pense être de nouveau sur pied demain.

Elle lui jeta un regard inquiet.

— Verriez-vous un inconvénient à coucher encore une nuit dans la maison ?

*Oui !* aurait-il voulu s'exclamer. La proximité de cette femme le mettait au supplice.

— Non, bien sûr, se força-t-il à dire.

Au même instant, le téléphone sonna et Cole se leva pour décrocher.

— C'est Doug Wills, dit-il, la mine sombre.

— Que veut-il ?

— Aucune idée.

Il lui tendit le combiné et, Hannah dans les bras, passa dans la pièce voisine. Quelques instants plus tard, il entendit le rire de Rachel. Cole haussa les épaules. Elle aimait bien ce type ? Et alors ? Elle aurait pu tomber plus mal.

Rachel le rejoignit avec un grand sourire.

— Doug avait oublié de préciser les dates de commencement des travaux.

— Et alors ?

— Il veut passer me voir à ce sujet.

— Ne pouvait-il pas vous les communiquer par téléphone ?

— Non. Il dit qu'il préfère régler ce point avec moi personnellement.

— Bien sûr, marmonna-t-il.

— Pardon ?

— Rien. Je me parlais à moi-même.

— Oh. Quoi qu'il en soit, je l'ai invité à dîner, histoire de le remercier de toutes les peines qu'il s'est données pour nous.

Réprimant un ricanement, Cole coucha Hannah dans le couffin.

— Et moi, je dis qu'il a d'autres idées en tête, et qui ne concernent pas le travail, ne put-il s'empêcher de remarquer.

*Tu te mêles de ce qui ne te regarde pas*, songea-t-il en portant Hannah dans sa chambre.

Certes, il se mêlait de ce qui ne le regardait pas, et c'était la faute de Rachel.

Dans l'après-midi, Rachel profita du sommeil de Hannah pour refaire les lits. Ce travail terminé, elle remonta le linge propre dans les chambres. A coup sûr, Cole allait se formaliser de ce qu'elle avait fait sa lessive, mais il ne s'était pas épargné ces derniers jours, et elle estimait tout naturel de lui rendre ce petit service.

Elle entra dans la chambre de Cole et posa le paquet de vêtements sur la commode. Un désordre d'objets jonchait la tablette du meuble : un téléphone portable, des pièces de monnaie et… une petite médaille ovale. Rachel approcha le bijou de ses yeux : il représentait un ange protégeant un bébé. Elle retourna le médaillon et lut : « Dieu bénisse notre bébé. »

*Le fils de Cole ? Seigneur, cet homme surmonterait-il un jour ses vieux démons ?*

Sentant une présence derrière elle, elle se retourna vivement :

— Oh, Cole, je ne vous avais pas entendu. Veuillez me pardonner, je ne faisais que ranger un peu de linge. Et j'ai trouvé ceci, ajouta-t-elle en reposant le médaillon.

Immobile dans l'encadrement de la porte, Cole la regardait en silence.

— Ce médaillon… c'était pour votre fils ? hasarda-t-elle.

Il acquiesça et entra dans la pièce.

— Nous devions l'installer sur le berceau de Nathan. C'est idiot, je sais, mais je l'ai gardé, ajouta-t-il d'une voix adoucie.

Il prit la médaille et la regarda.

— Je ne suis même pas catholique, dit-il comme à lui-même. Mais j'ai reçu ce cadeau d'une personne qui compte beaucoup pour moi.

— Votre femme ? demanda Rachel sans réfléchir et non sans une pointe de jalousie.

Cole secoua la tête d'un air dédaigneux.

— Oh, non. Pour elle, ce n'était qu'une babiole sans valeur. Non, je parlais de Loretta Simons. La femme qui m'a élevé, précisa-t-il en levant les yeux vers Rachel. C'est elle qui m'a appris à monter à cheval.

— Mais vos véritables parents, les connaissez-vous ?

Cole haussa les épaules.

— Non, pas vraiment. J'ai vécu avec ma mère

jusqu'à l'âge de dix ans, après quoi j'ai été placé. Je ne l'ai plus revue depuis. Elle se droguait.

— Oh, Cole.

Il se crispa.

— Ne me plaignez pas, Rachel. Il y a longtemps que j'ai appris à faire la part des choses.

— Je ne vous plains pas, Cole. Je comprends votre douleur, c'est tout.

Il demeura silencieux un moment.

— J'aurais tellement voulu donner à mon fils ce que je n'ai jamais eu : un foyer, des parents aimants. Seulement, je n'ai pas su reconnaître à temps ce qui était le plus important.

— Je ne vous crois pas.

— Pourtant, c'est la vérité. J'étais focalisé sur ma réussite professionnelle. Je passais toutes mes journées au travail. Jusqu'à ce que Jillian accouche prématurément.

Il se tut, le visage crispé par le chagrin.

— Etes-vous pour quelque chose dans cet accident ? demanda Rachel d'une voix douce.

Cole secoua la tête.

— Le médecin n'avait pas d'explication. Tout ce que nous savons, c'est que les poumons du bébé n'étaient pas suffisamment développés. Il n'a pas survécu.

Rachel s'approcha de lui et passa les bras autour de sa taille.

— Ce n'est pas votre faute, Cole. Ces choses-là arrivent, malheureusement. Vous ne pouvez pas vivre éternellement avec cette culpabilité.

— Je vais bien. Toute cette histoire remonte à des années.

— Sans doute pas assez loin pour permettre à vos blessures de cicatriser.

Elle posa un baiser léger sur ses lèvres.

— Rachel, j'ai du mal à m'ouvrir aux autres.

— Ce n'est pas grave. Laissez-moi vous aider.

Il la considéra longuement, avec gravité, puis posa la main sur sa joue, se pencha vers elle. Mais la sonnerie de la porte d'entrée rompit le charme. Cole se raidit et recula d'un pas.

— Je crois que votre invité vient d'arriver.

Rachel soupira. Une fois de plus, Cole se repliait sur lui-même, mais il ne s'en tirerait pas à si bon compte.

# 9.

Doug était resté pour dîner, et Cole, plus taciturne encore qu'à l'accoutumée, quitta la table sitôt le repas terminé au prétexte de devoir prendre soin de Hannah.

Debout à la fenêtre de sa chambre, il se perdit dans la contemplation des prés baignés par la clarté de la lune. Par moments, des éclats de rire fusaient du salon, suivis de longs silences que son imagination peuplait de mille chimères. Il haussa les épaules. De quel droit était-il donc jaloux ? Rachel pouvait bien s'entendre avec qui elle voulait. De toute façon, son temps au ranch touchait à sa fin : la semaine prochaine, c'était dit, il s'en allait.

Au bout d'une éternité, des raclements de chaises et un brouhaha de voix et de pas dans le couloir d'entrée l'informèrent du départ de Doug. Un moteur de voiture gronda et le silence retomba sur le ranch. Cole lâcha un profond soupir et descendit dans la cuisine. Ravissante dans une robe à fleurs qui soulignait sa silhouette harmonieuse, Rachel était occupée à ranger de la vaisselle sur une haute étagère.

— Pouvez-vous me dire ce que vous fabriquez ?

La jeune femme tressaillit et, avec un cri de surprise, lâcha les assiettes qui se brisèrent par terre.

— Cole ! Vous m'avez fait peur.

— Attendez, ordonna-t-il en se précipitant vers elle.

Il l'installa sur une chaise.

— Ne bougez pas, j'apporte un balai.

— Si vous m'apportiez des chaussures, je vous aiderais, lâcha-t-elle d'un ton fâché.

— Inutile. C'est à cause de moi que vous avez lâché ces assiettes. C'est à moi de nettoyer.

Au même instant, les cris de Hannah résonnèrent dans la maison.

— Ne soyez pas si têtu, Cole, et donnez-moi mes pantoufles. Elles sont là-bas, derrière la porte.

— Très bien.

Il lui tendit les chaussons et le balai.

164

— Tenez, finissez de ramasser.

La jeune femme obtempéra, déconcertée par cette manifestation d'hostilité.

— Cole, pouvez-vous me dire ce que j'ai fait pour vous mettre en colère ?

— Vous êtes censée ne pas vous servir de votre bras.

— Et je m'en suis abstenue jusqu'à aujourd'hui. Je vais bien, je vous assure.

— Je suis heureux de vous l'entendre dire, marmonna-t-il.

Il prit le biberon réchauffé et monta dans la chambre de Hannah, suivi de la jeune femme. A leur arrivée, l'enfant se calma légèrement. Cole l'allongea sur la table à langer et s'écarta pour laisser la place à Rachel. Après avoir changé la couche sale, celle-ci souleva précautionneusement Hannah dans ses bras, prit le biberon et alla s'asseoir dans une berceuse. Elle leva les yeux et vit que Cole était parti. Le cœur serré, elle s'efforça de reporter son attention sur Hannah. Lorsque, rassasiée, la petite eut fait un rot, Rachel la coucha dans le berceau et la borda, puis se dirigea vers la chambre de Cole.

Elle frappa un coup bref à la porte et ouvrit sans même attendre la réponse.

— Cole, il faut que nous… parlions, bredouilla-t-elle.

Il venait de prendre une douche et ne portait sur lui qu'une serviette de bain, enroulée autour de la taille.

— Veuillez m'excuser… J'aurais dû attendre.

Immobile, Cole ne répondit pas.

— Je… je voulais savoir pourquoi vous êtes fâché contre moi.

— Je n'ai rien à vous dire. S'il vous plaît, partez, Rachel, avant que j'oublie que…

Il s'interrompit. Dans un élan de hardiesse, Rachel fit un pas vers lui.

— Oublier quoi, Cole ? Que vous étiez contrarié de la visite de Doug ?

Furieux, il détourna le regard.

— Je me fiche de vos fréquentations.

Elle s'approcha de lui.

— Je ne vous crois pas. Et j'adore vous voir jaloux.

— Je ne suis pas jaloux, juste… Bon sang, Rachel, allez-vous-en avant que…

— Avant quoi ? Que vous admettiez que vous ressentez quelque chose pour moi ?

Elle posa une main sur son torse velu, savoura ce contact intime, la chaleur de sa peau. Hardiment,

166

son regard glissa sur ses larges épaules, ses bras musculeux, sa poitrine et se posa sur son visage. Il la fixait avec un désir non dissimulé, brûlant.

— Je n'ai pas peur de ce qui se passe entre nous, prononça-t-elle d'une voix haletante. Aucun autre homme ne m'a inspiré de tels sentiments. Pourtant, j'ai toujours vécu au milieu de cowboys, mais aucun n'a jamais fait palpiter mon cœur, aucun ne m'a fait souffrir de désir.

Sous sa caresse, elle sentit le cœur de Cole battre à coups redoublés.

— Ne dites pas cela, Rachel. Vous me faites trop mal.

— Ouvrez-vous à moi, Cole. Laissez libre cours à vos sentiments.

Avec un soupir, il l'attira contre lui et écrasa sa bouche contre la sienne. Etouffant un léger cri, Rachel glissa les mains autour de son cou et se plaqua contre lui, éperdue, grisée. Il délaissa ses lèvres pour semer des baisers sur ses joues, son cou.

— Cela me rendait fou, de vous savoir avec Wills. J'aurais voulu lui régler son compte, en faire de la charpie. Etes-vous satisfaite ?

— Continuez, sourit-elle.

— Je vous désire, Rachel, dit-il gravement. Mais je ne suis pas le prince de vos rêves. Je ne pourrai jamais vous offrir ce que vous aurez avec un homme comme Wills.

— Doug ne m'intéresse pas. C'est vous que je veux, Cole.

Il la regarda un instant en silence.

— Et je ne désire rien d'autre que d'être avec vous, murmura-t-elle.

Elle se haussa sur la pointe des pieds et, du bout de la langue, dessina le contour de ses lèvres. Leurs souffles se mêlèrent et leurs lèvres se joignirent en un long baiser, profond comme une mort lente. Cole redressa la tête.

— Etes-vous sûre de ce que vous voulez, Rachel ?

— Voulez-vous que je vous le prouve ? répondit-elle en souriant.

Avant qu'il puisse répondre quoi que ce soit, elle fit glisser la fermeture Eclair de sa robe, qui tomba en corolle autour d'elle. Elle portait un soutien-gorge de dentelle blanche et une culotte assortie.

— Je les ai achetés l'autre jour en ville… en pensant à vous, précisa-t-elle, rougissante.

— Vous êtes magnifique.

168

Il posa ses lèvres sur son épaule, redressa la tête.

— C'est vrai, vous le voulez ? Je ne supporterais pas que vous changiez d'avis.

Elle ouvrit l'agrafe de son soutien-gorge et le lâcha d'un geste léger.

— Faites-moi l'amour, Cole.

Avec un sourire sauvage, il la souleva dans ses bras et la porta jusqu'au lit. Inclinant alors sa tête vers ses seins, il lécha un mamelon dur et tendu tout en caressant l'autre sein avec une sensualité consommée.

— Cole, gémit-elle en lui caressant les cheveux.

— Je suis là. Nous avons toute la nuit pour nous.

Elle soupira, alanguie sous les caresses de Cole et, d'une main rapide, dénoua la serviette de bain. Il se pencha vers elle, impatient d'assouvir la fièvre qui le brûlait depuis si longtemps.

A la faible lueur de l'aube, Cole contemplait Rachel. Blottie contre lui, elle venait de s'endormir au terme d'une nuit d'amour, la plus belle qu'il ait jamais vécue. Jamais il n'avait connu d'amante aussi douce, aussi généreuse, aussi soucieuse de son plaisir. Il effleura sa joue d'une caresse. Rachel soupira et se serra contre lui. Il posa un léger baiser sur ses cheveux et s'écarta tout doucement, de peur de la réveiller. Dans son sommeil, la jeune femme murmura le nom de Cole et tendit la main vers lui. Il se figea, le cœur serré. Au bout de cette nuit, il y avait la solitude, le regret d'un amour qu'il ne pourrait jamais vivre, jamais donner. Autant se lever tout de suite pour abréger la souffrance de la séparation.

— Cole…

— Rendormez-vous, Rachel, murmura-t-il en l'embrassant doucement, il est encore très tôt. Je vais voir Hannah.

Vite, avant de changer d'avis, il glissa hors du lit et, pendant un moment, la regarda, immobile. Enfin, s'arrachant à sa contemplation, il enfila un jean et se rendit dans la chambre du bébé.

La petite dormait profondément. Il remonta une couverture qui avait glissé et se dirigea vers la fenêtre : à la lumière douce du petit matin, la grange imposante, le logement du contremaître et, un peu plus loin, les vastes prés prenaient de délicates teintes rosées. Tous ces bâtiments avaient besoin de travaux. S'il était resté, il aurait pu aider Rachel dans ces rénovations, la conseiller, peut-être aussi discuter de l'achat de quelques chevaux de selle qu'il avait remarqués, quelque temps auparavant. Mais ç'aurait été se leurrer : il n'avait pas d'avenir ici.

Et il valait mieux partir au plus vite, avant que la séparation ne soit trop difficile.


La joue chauffée par un rayon de soleil doré, Rachel s'étira voluptueusement et ouvrit les yeux. Le réveil-matin indiquait 8 heures. Elle se redressa en sursaut. Hannah ! Il fallait qu'elle la change, qu'elle la nourrisse.

Elle glissa aussitôt du lit et, enfilant très vite une robe de chambre, se rendit dans la chambre du bébé : le berceau était vide. Cole devait l'avoir emmenée dans la cuisine. Sur le point de descendre, elle se retint. Cy et Josh n'avaient sans doute pas terminé de déjeuner. Comment leur expliquerait-elle pourquoi elle n'était pas encore habillée ?

Elle alla prendre une douche rapide et revêtit ses habits de tous les jours : un jean, une ample chemise et des bottes. Une demi-heure plus tard, elle se rendait dans la cuisine, mais au lieu de Cole, ce fut Amy qu'elle rencontra.

— Bonjour, dit-elle avec un large sourire. Je suis ravie de voir que tu vas mieux. Comment te sens-tu ?

— Beaucoup mieux, répondit la jeune fille en reposant Hannah dans le couffin. Je suis vraiment désolée de vous avoir laissée toute seule avec Hannah.

— Ce n'était pas ta faute. Et puis, je vais mieux, moi aussi. Mais si tu pouvais continuer à garder Hannah quelques heures par jour avant la rentrée des classes, cela m'arrangerait bien.

— Avec plaisir.

Au même instant, Josh entra dans la cuisine.

— J'apporte les œufs. Oh, Rachel, vous êtes debout. Super, on va pouvoir déjeuner.

— Je suis désolée d'avoir fait attendre tout le monde.

— Cole nous a dit de vous laisser dormir. Il paraît que Hannah a été un peu agitée, cette nuit. De toute façon, Amy et moi avions commencé à déjeuner.

— Où est Cole ?

172

— Il est allé surveiller le troupeau. Il nous a dit de ne pas l'attendre.

Comme les deux adolescents prenaient place à table, Rachel se laissa tomber sur une chaise. Que se passait-il ? Cole cherchait-il à l'éviter ?

Comme il montait les marches du porche, Cole se figea. La cuisine résonnait de rires et de voix : les bruits d'une vie de famille. La famille de Rachel, mais pas la sienne. Jamais. Le cœur serré comme dans un étau, il s'efforça de sourire et poussa la porte.

— Bonjour, tout le monde.

Tous les convives le saluèrent à l'unisson.

— Comment va le troupeau ? demanda Cy.

— Bien, bien.

Cole se dirigea vers le four et croisa au passage le regard de Rachel, qui lui sourit timidement. Il inclina la tête d'un air neutre. Toutefois, sa main tremblait tandis qu'il posait sur son assiette des tranches de bacon accompagnées d'œufs au plat.

— Quel est le programme pour aujourd'hui ? s'enquit Josh.

— Demande à Rachel, répondit Cole en avalant

une bouchée. C'est à elle de décider, maintenant qu'elle se porte mieux.

Elle lui glissa un regard blessé qu'il ne manqua pas de remarquer et se tourna vers Josh.

— Tu pourrais aller faire quelques courses en ville.

— Vous voulez que j'aille en ville ?

— Pourquoi pas ? Tu as ton permis, après tout.

— Oui, c'est vrai, se réjouit Josh.

Son regard tomba sur Amy et il s'assombrit.

— Amy, tu pourrais l'accompagner, proposa Rachel. A deux, vous mettrez moins de temps à faire les courses. En cas de problème, vous avez un téléphone portable.

— Mais Hannah ? demanda Amy.

— Elle dort. Et puis, cela fait quelques jours que je n'ai pas eu le plaisir de m'occuper d'elle. Tiens, Josh, voici la liste.

— Attendez, intervint Cy. Je vous accompagne, il faudrait que je passe au magasin de fournitures agricoles.

L'instant d'après, Rachel était seule dans la cuisine, avec Hannah et Cole.

— Attendez, je vais vous aider, dit-il comme elle prenait le couffin.

174

— Merci, mais ce n'est pas la peine.

Désemparé, il la regarda sortir et se laissa tomber sur une chaise. Imbécile ! En matière de femmes, il n'était vraiment que le dernier des idiots. Que faire, maintenant ? Lui présenter des excuses ? Oui, mais comment ? « Rachel, je suis désolé, je ne voulais pas vous faire de peine… » ou « Pardonnez-moi, je n'aurais pas dû vous laisser, ce matin… » Cole secoua la tête. Il était pathétique. Vraiment pathétique. Il n'était pas trop tard pour que Rachel s'en rende compte.

Le cœur lourd, il grimpa l'escalier et poussa la porte de la chambre de Hannah. Assise dans un fauteuil à bascule, le bébé sur les genoux, la jeune femme se balançait doucement.

— Rachel… Excusez-moi. J'aurais dû vous réveiller tout à l'heure, en me levant.

Rachel ne lui répondit pas. Elle ne tourna même pas la tête. Sans un mot, elle se leva et coucha Hannah dans son berceau. Lorsqu'elle se retourna, Cole était parti. Elle le trouva dans la chambre d'amis, occupé à ramasser ses affaires.

— Je retourne dans le préfabriqué.

Ce spectacle fit à Rachel l'effet d'un coup de poing.

— Vous n'êtes qu'un lâche, Cole.

Il se figea et lui lança un regard acéré.

— Parfaitement, un lâche. Voulez-vous que je vous dise pourquoi vous êtes parti avant mon réveil ? Vous aviez peur de vous confronter à moi… à moi et à vos sentiments.

Cole baissa la tête.

— J'aurais tant aimé que les choses soient possibles entre nous.

— Mais elles sont possibles ! C'est vous qui ne voulez pas. Vous avez peur de vous engager. Chaque fois que je vous tends la main, vous vous défilez.

Il lui lança un regard chargé d'éclairs.

— Je vous aime trop pour accepter de vous décevoir, Rachel. Maintenant, si vous voulez bien m'excuser, dit-il en se dirigeant vers la porte, une valise à la main.

Décontenancée, elle le suivit. Au même instant, le téléphone sonna.

— Allô, Rachel ? Beth Nealey à l'appareil.

La jeune femme s'essuya les yeux et s'éclaircit la voix.

— Beth, bonjour, répondit-elle d'une voix

qu'elle voulut claire et gaie. Comment allez-vous ?

— Très bien. J'ai une nouvelle importante à vous annoncer. Nous avons retrouvé le père de Josh.

# 10.

Une heure plus tard, excédée par l'attente, la jeune femme sortit sous le porche.

— Calmez-vous, Rachel, dit Cole en la rejoignant. Tout ira bien.

Elle eut un haussement d'épaules impatienté.

— Comment pouvez-vous dire une chose pareille ? Ce type abandonne son fils sans argent, sans nourriture, disparaît sans donner de nouvelles et revient, trois mois plus tard, avec l'intention de retirer son garçon d'un foyer stable.

Les yeux brouillés de larmes, elle s'interrompit.

— Josh fait partie de la famille, maintenant.

— Je sais, répondit Cole. Et Beth s'en rendra compte, vous verrez. J'ai du mal à croire qu'elle permette à cet homme de reprendre son fils aussi facilement.

Il l'attira doucement dans ses bras et la serra contre lui. Elle se laissa faire, heureuse de ce réconfort. Au même instant, une petite voiture apparut au coin de la route et se gara devant le porche. Beth Nealey en sortit, ainsi qu'un homme hâve et maigre d'une quarantaine d'années. Rachel se dégagea de l'étreinte de Cole et alla à la rencontre des deux visiteurs.

— Rachel, quel plaisir de vous voir. Comment se porte notre petite Hannah ?

— A merveille. Elle est en train de dormir.

— Je la verrai plus tard.

Elle salua d'un signe de tête Cole et Cy, qui les avait rejoints à l'arrivée de la voiture.

— Je vous présente Sam Owens, le père de Josh. Sam, voici Rachel Hewitt.

M. Owens, son chapeau dans les mains, inclina la tête.

— Madame, je voudrais vous remercier de vous être occupée de mon garçon pendant toutes ces semaines.

— Nous avons recueilli Josh avec plaisir, répondit sèchement la jeune femme.

180

— Il n'est pas là ? demanda Sam en promenant le regard sur la cour.

— Non. Il est parti faire des courses en ville.

Beth Nealey s'éclaircit la voix.

— Nous serions sans doute plus à l'aise pour discuter à l'intérieur.

Rachel hocha la tête et se dirigea d'un pas nerveux vers la cuisine.

— Un café ? demanda Cole comme tout le monde s'installait.

Les tasses distribuées, Rachel prit la parole.

— Monsieur Owens, j'ai besoin de savoir pourquoi vous avez abandonné votre fils.

— C'est que je n'avais pas le choix, madame. Il fallait bien que je travaille.

— Vous auriez pu emmener Josh avec vous.

Sam lança un bref regard à Beth avant de revenir à Rachel.

— Vous savez, madame, à cette époque de l'année, le travail ne court pas les rues. Alors, quand j'ai entendu dire qu'on avait besoin d'hommes pour acheminer un troupeau du côté de Midland, je n'ai pas hésité. Le problème…, reprit-il en hésitant, c'est qu'il n'y avait pas de place pour Josh. Mais je vous jure que je lui avais laissé de l'argent et de la nourriture en partant, et chaque semaine, je lui envoyais une partie de mon salaire.

— Je ne vous crois pas, l'interrompit Rachel. Josh mourait de faim lorsqu'il est arrivé.

— Cela, je ne me le pardonnerai jamais. Mais la personne à qui j'avais confié l'argent de Josh avait tout gardé pour elle.

Il lança un regard à Beth, qui lui fit signe de poursuivre.

— Je donnais la plus grande partie de mon salaire au contremaître du ranch pour qu'il l'envoie à Josh. Voyez-vous, poursuivit-il en baissant la tête, je ne sais pas bien lire et écrire, et cet homme en a profité. Il disait qu'il voulait m'aider. En fait, il empochait tout l'argent. Dès que je m'en suis rendu compte, je suis revenu. C'est alors que j'ai appris que Mm Nealey me recherchait.

— Je confirme son récit, intervint Beth. Ce contremaître n'en était pas à son coup d'essai. Toutefois, j'ai dit à Sam qu'il restait coupable d'abandon de mineur, et qu'il ne pouvait pas récupérer la garde de Josh avant d'avoir prouvé qu'il était capable de subvenir à ses besoins.

— J'ai besoin de travailler, argua Sam en

regardant l'assistante sociale. Vous m'aviez dit que je pourrais voir mon fils aujourd'hui.

— Oui, nous arrangerons une visite, si Rachel est d'accord.

La jeune femme secoua la tête. Au même instant, elle entendit le grondement familier de la camionnette à l'arrière de la maison.

— Voilà Josh qui arrive, dit-elle.

Les yeux de Sam se mouillèrent.

— S'il vous plaît, pourrais-je voir mon garçon ?

Rachel acquiesça. Aussitôt, Sam se leva de table et se précipita à la rencontre de son fils. Beth s'approcha de la jeune femme.

— Sam est un brave homme. Il a besoin d'un peu d'aide, c'est tout.

Elle soupira en voyant le père et le fils tomber dans les bras l'un de l'autre.

— Parfois, j'aime mon métier. Si vous le permettez, Rachel, je vais monter voir Hannah.

— Bien sûr. Elle devrait se réveiller bientôt. C'est la deuxième pièce à droite en haut de l'escalier.

Une fois Beth partie, Rachel lança un coup d'œil à Cole : le visage de celui-ci ne laissait transparaître aucune émotion.

— Vous allez bien ? lui demanda-t-il.

Ignorant sa question, la jeune femme se dirigea vers la porte du fond pour suivre les retrouvailles de Josh et de son père. Le garçon le serrait contre son cœur et parlait avec excitation en lui présentant Amy. Le cœur de Rachel se serra : le bonheur rajeunissait Sam d'une bonne dizaine d'années.

Comme elle s'éloignait, Josh leva les yeux.

— Eh, Rachel ! Mon père est revenu, dit-il avec un sourire bouleversé.

— Je sais… C'est formidable, parvint-elle à répondre.

Elle se retourna et croisa le regard de Cole. Oui, certains dénouements étaient heureux, et d'autres non. La veille, elle avait tout donné à cet homme, mais il ne voulait pas d'elle. Quel que soit son amour pour lui, elle ne pouvait le retenir. Il était temps de mettre fin à cette situation. Résolument, elle se tourna vers Josh et son père.

— Sam.

— Oui, madame ?

— Vous disiez tout à l'heure que vous cherchiez du travail ?

— En effet.

184

— Eh bien, les choses ne pourraient mieux tomber. Une place vient justement de se libérer dans mon ranch. Le logement et la nourriture sont fournis. Qu'en dites-vous ?

Josh écarquilla les yeux, mais Sam n'avait pas l'air convaincu.

— Le logement et la nourriture sont fournis, insista-t-elle. Qu'en dites-vous ?

— Merci, mademoiselle Hewitt. Vous ne serez pas déçue.

— Bien. Appelez-moi Rachel. Vous pouvez emménager quand vous voulez.

Elle se retourna : appuyé contre un mur, Cole demeurait impassible.

— Voilà. Je vous ai trouvé un remplaçant. Vous pouvez partir, maintenant. C'est ce que vous désiriez, n'est-ce pas ?

Puis, passant devant lui, elle claqua la porte.


— Alors, ça y est ? Tu t'en vas ? s'enquit Cy alors que Cole jetait pêle-mêle ses effets dans une valise.

— Oui. Il est temps.

— Grand temps, même. Cela fait des semaines

que tu repousses ton départ. Bien sûr, tu avais des excuses.

— Plus maintenant. Rachel n'a pas besoin de moi.

— Erreur. Rachel pense qu'elle n'a besoin de personne. Ne t'y trompe pas : c'est une manière pour elle de protéger son cœur. Je la comprends, tu sais. Elle a essuyé tellement de revers, dans la vie.

Cole referma sa valise d'un geste bref.

— Rachel n'a pas besoin d'un homme comme moi.

— Donc, tu préfères la laisser à Wills ou à un bellâtre comme Vince ?

Cole serra les poings et écarta le souvenir des baisers de Rachel, de la tendresse de ses caresses, de la passion avec laquelle elle s'était donnée à lui, tout entière.

— Rachel est une femme sensée. Elle choisira le meilleur parti pour elle et pour Hannah, dit-il en saisissant sa valise.

A cet instant, la porte s'ouvrit et Josh entra en coup de vent.

— Rachel m'a dit que vous partiez.

Le regard du garçon tomba sur la valise.

186

— Je n'ai jamais eu l'intention de rester. Ton père va me remplacer.

— Mais… mais je pensais que vous et Rachel… Enfin, vous vous entendiez bien. Hannah a besoin de vous.

— Mais non, soupira Cole. Et puis, je ne suis pas libre. J'ai une affaire qui m'attend à Atlanta. Toi, je veux que tu restes ici pour prendre soin de Rachel et de la petite.

Les larmes aux yeux, Josh le regarda sans rien dire. Cole lui tendit la main, mais le garçon jeta les bras autour de lui.

— Merci pour toute votre aide. Je ne vous oublierai jamais.

Puis il se retira précipitamment.

— Eh bien, dit Cy, on dirait que tu as fait une forte impression à ce gamin.

Cole haussa les épaules.

— Il n'a pas besoin de moi pour s'en sortir dans la vie.

Le vieil homme lui tendit la main.

— Je te dois beaucoup, Cole. Sans toi, je ne serais pas en vie aujourd'hui. J'aurais tant aimé que tu puisses rester.

— C'est impossible.

Cy le regarda un long moment.

— Un jour, peut-être, tu finiras par te rendre compte que tout ce que tu recherchais dans la vie se trouvait ici.

Cole lui jeta un bref regard et se rendit à sa voiture. En ouvrant la portière, il lança un dernier regard à la maison et ressentit un coup au cœur en apercevant Rachel à la fenêtre, Hannah dans les bras. Non. Il fallait qu'il parte. Il n'avait pas sa place ici.

D'un geste sec, il jeta sa valise sur le siège arrière, s'installa au volant et claqua la portière. L'instant d'après, il disparaissait sur la route dans un grondement de moteur.

— Non, non, non !

Avec un soupir excédé, Luke Calloway laissa tomber un dossier sur le bureau de Cole.

— Qu'est-ce qui ne va pas ?

— C'est toi qui ne vas pas. Tu n'es pas à ce que tu fais.

— Luke, j'ai repris le travail il y a un mois seulement.

Luke secoua la tête.

— Là n'est pas le problème. Depuis ton arrivée, tu agis comme un robot.

Cole avala sa salive. Son ami avait raison. Il fallait qu'il se ressaisisse : s'il ne trouvait pas sa place ici, où donc la trouverait-il ?

— J'ai besoin d'un peu de temps pour m'adapter, Luke.

— Si seulement. Je vois bien que tu ne supportes plus de rester toute la journée enfermé entre quatre murs. Ton cœur est resté au Texas… avec Rachel.

Le cœur de Cole se serra.

— Tu ne sais pas de quoi tu parles.

— Allons, ne te voile pas la face. Tu n'es jamais parti de là-bas. Toutes tes pensées vont vers elle.

Cole leva vers lui un regard acéré. Décidément, rien n'échappait à la perspicacité de son ami.

— Eh bien, oui, je pense à Rachel. Mais il valait mieux que je la quitte. Avec mon passé, je n'aurais jamais su la rendre heureuse.

— Tu sais, dit Luke en s'asseyant dans un fauteuil, j'ai souvent eu l'occasion de m'apercevoir qu'une femme amoureuse ne s'arrête jamais à nos défauts.

— Ce n'est pas cela. Rachel désirait fonder une famille. Pour cela, je ne suis pas l'homme qu'il lui fallait.

— Quand donc voudras-tu laisser le passé au passé une bonne fois pour toutes ? soupira Luke. Ecoute-moi, Cole. Jillian avait largement ses torts dans l'échec de votre mariage.

— Luke…

— Non, laisse-moi parler. Elle était possessive et n'a jamais supporté de te partager avec le travail ni avec qui que ce soit, même moi, un ami d'enfance.

— Ne sois pas injuste. Si je m'étais trouvé là pour elle…

— … Cela n'aurait strictement rien changé. Tu n'étais pour rien dans cet accident. Et tu ne peux pas t'interdire de vivre pour quelque chose dont tu n'es pas responsable. Tourne la page. Cette femme, l'aimes-tu ? poursuivit-il comme Cole ne disait rien.

— Plus que tout au monde.

— Parfait. Va la retrouver. Ta place n'est pas ici, mais avec elle. Tu l'as dans la peau.

Un sourire creusa une fossette dans la joue de Luke.

— Je suis sûr qu'elle est belle. Je l'ai eue l'autre jour, au téléphone. Elle a une voix terriblement sexy, chaude et rocailleuse à souhait.

— Arrête, Luke. Tu n'es vraiment pas son genre.

— Eh, quelle agressivité ! Tu vois, tu es amoureux.

Cole hocha lentement la tête et le regarda.

— Si je voulais te revendre ma part de l'entreprise...

— Je n'aurais pas de mal à trouver un autre associé, mais dans un premier temps, nous pouvons laisser les choses en l'état.

— Non. Tu as raison, Luke. Ma place n'est pas ici. Elle est aux côtés de Rachel. Du moins, si elle veut toujours de moi.

# 11.

Un été indien particulièrement étouffant s'était installé. Cela faisait plus d'un mois que Rachel avait perdu le sommeil et l'appétit, mais ce n'était pas la canicule qui l'épuisait le plus. Le départ de Cole avait laissé en elle un vide immense qu'elle essayait tant bien que mal de combler par le travail et en se consacrant à Hannah.

Pour ce qui était de Cole, péniblement, elle s'efforçait de l'oublier.

Un matin, comme elle achevait d'habiller Hannah, un grondement de moteur résonna dans la cour. Elle s'approcha de la fenêtre et reconnut le 4x4 noir de Cole. Il tractait un van pour cheval. Prise d'un léger étourdissement, elle le regarda sortir de la voiture. Au même instant, Josh se précipita hors de la grange pour l'accueillir. Les deux hommes s'étreignirent et se dirigèrent vers la maison. Figée, Rachel contemplait avec avidité sa silhouette athlétique, sa démarche élastique. S'arrachant à cette fascination, elle prit Hannah dans ses bras et alla à sa rencontre.

— Rachel, Cole est revenu, s'exclama Josh.

— Je vois.

En silence, elle détailla ses yeux gris, insondables, son menton creusé d'une fossette, sa bouche ciselée. Soudain, le chagrin que lui avait causé son départ lui revint avec une acuité douloureuse.

— Attendez, dit Josh. Je vais prendre Hannah avec moi.

L'enfant dans les bras, il disparut avant que Rachel ait eu le temps de réagir. Elle joignit les mains avec un embarras visible.

— Si vous venez pour du travail, je vais être obligée de vous décevoir. Je ne recherche personne en ce moment.

— Ce n'est pas grave, je suis ici pour autre chose. Je voulais vous parler.

La jeune femme écarquilla les yeux.

— Me parler ? Je me demande bien de quoi. Je crois que nous nous sommes tout dit le jour où vous êtes parti.

— J'ai eu tort de m'en aller, Rachel. Tout ce que je désire au monde se trouve ici.

Le regard brouillé de larmes, elle secoua la tête.

— Arrêtez, Cole. S'il vous plaît, allez-vous-en. Cela vaudra mieux pour moi et pour vous.

Comme elle se tournait vers la porte, il lui toucha le bras.

— Rachel, écoutez-moi, je vous en prie. Je sais que je ne mérite pas votre attention, mais ne vous détournez pas de moi. Je ne suis pas revenu pour vous faire du mal.

— Non. Vous l'avez fait en partant.

Cole soupira.

— Comprenez-moi, Rachel. Il fallait que… que je fasse le point sur mon passé. Sur l'échec de mon mariage. J'étais hanté par de vieux démons et j'avais peur de répéter mes erreurs.

— Je ne vois pas ce que tout ceci a à voir avec moi.

Il avala sa salive.

— Donnez-moi une chance, Rachel. S'il vous plaît.

— Une chance ? Alors que vous m'avez quittée le mois dernier ?

A bout de paroles, elle alla s'asseoir dans une chaise à bascule, à l'extrémité du porche. Cole la suivit et s'adossa contre un mur, en face d'elle.

— Il m'a fallu ce temps pour guérir mes blessures. Je suis retourné à Atlanta, où je possède une entreprise.

Rachel leva brusquement la tête.

— Une entreprise ?

Il hocha la tête.

— Il y a une dizaine d'années, avec un ami, j'avais fondé une société spécialisée dans les fibres optiques.

Silencieuse, elle le regardait fixement.

— Mais, poursuivit-il en soupirant, il a suffi d'un mois pour que mon ami soit prêt à me flanquer à la porte.

— Pourquoi ? C'est votre entreprise.

— Plus vraiment maintenant. Mes priorités ont changé : je n'ai plus envie de consacrer ma vie à mon travail. D'ailleurs, c'est pour cela que j'ai vendu ma part à mon associé. Et puis, ajouta-t-il après une hésitation, j'en ai profité pour aller voir mon ancienne femme. Nous avons longuement discuté de beaucoup de choses. Je lui ai demandé pardon.

Il eut un long soupir tremblant.

— Et elle s'est excusée, elle aussi. Elle m'a dit qu'elle n'avait pas le droit de m'accuser de la mort de notre bébé.

— Etait-elle sincère ?

— Oui. Mais dans mon cœur, il y aura toujours cette douleur…

Rachel hocha la tête, les yeux soudain humides.

— Etes-vous toujours amoureux d'elle ?

Cole la regarda d'un air surpris.

— Non. D'ailleurs, elle s'est remariée, et elle attend un enfant. Je suis heureux qu'elle ait tiré un trait sur son passé. Il est temps que j'en fasse autant, ajouta-t-il, le regard accroché au sien.

Rachel déglutit avec difficulté.

— C'est-à-dire ?

— J'ai décidé de me fixer. Je vais me lancer dans l'élevage de chevaux.

Elle ouvrit de grands yeux.

— Oh…, fit-elle, dissimulant mal sa déception. Bien. Mais qu'est-ce que cela a à voir avec votre visite ?

— Eh bien, je sais que vous avez de nombreux projets pour le ranch, et je voulais vous soumettre une idée. Accepteriez-vous de vous lancer dans l'élevage de chevaux, avec moi ? Duke pourrait fonder une lignée hors pair.

*Il la choisissait… comme partenaire ?* Blessée, Rachel le regarda un long moment.

— Je suis désolée, Cole, mais je ne pense pas que ce soit une bonne idée.

— Si c'est le capital qui vous pose problème, je vous assure que je peux…

— Il ne s'agit pas de cela, l'interrompit-elle, impatientée. Vous ne comprenez donc pas, Cole ? Je me suis donnée à vous. Cela ne veut peut-être rien dire pour vous, mais pas pour moi.

Excédée, elle se leva pour partir, mais il la retint.

— Lâchez-moi.

— Non. Vous vous trompez, Rachel. Vous êtes tout pour moi. Je veux faire ma vie avec vous… et avec Hannah. Je voulais simplement vous prouver mon désir de m'installer ici définitivement. Oh, Rachel, dit-il en prenant son visage dans ses mains, comme j'ai été stupide de vous quitter. Ma seule excuse était qu'il me fallait tirer un trait sur mon passé. Je ne pouvais pas jusqu'à maintenant vous donner ce dont vous aviez besoin.

— Je n'ai besoin que de toi, Cole. Seulement de toi.

Il la prit dans ses bras et s'empara de ses lèvres. La ferveur avec laquelle il l'embrassait déchaîna en elle un tourbillon de désir. Elle gémit, ivre de sensations.

— Je t'aime, Rachel. Je t'aime et je ne peux vivre sans toi. Dis-moi qu'il n'est pas trop tard.

Elle sourit à travers ses larmes.

— Ça dépend du type de partenariat que tu recherches.

— J'envisage un partenariat à long terme. C'est à prendre ou à laisser.

Rachel éclata de rire et glissa les bras autour du cou de Cole.

— Vous êtes dur en affaires, monsieur Parrish. Nous allons devoir envisager de sérieuses négociations.

— J'espérais que tu me répondrais cela, dit-il en l'embrassant follement.

Saisie de vertige, Rachel ferma les yeux.

— Redis-le-moi, Cole.

— Je t'aime, Rachel.

— Moi aussi, balbutia-t-elle, le regard brouillé de larmes. Je pensais que tu ne reviendrais jamais.

— Pardonne-moi. Je ne pouvais pas te rejoindre avant d'avoir accepté mon passé. C'est toi qui m'as permis d'y arriver.

— J'en suis heureuse.

Un hennissement interrompit leur baiser.

— Oh, j'avais oublié Sassy. Il faut que tu la voies, Rachel. C'est une jument magnifique que j'ai trouvée pour Duke. Mais elle finit par s'impatienter, enfermée comme cela.

Une ruade secoua le van.

— Elle veut sortir. Viens, je vais te la montrer.

Comme ils se dirigeaient vers la voiture, Josh, l'air affolé, sortit en courant, avec Hannah dans les bras.

— Rachel, je n'arrive pas à la calmer.

— Donne-la-moi, dit Cole en prenant le bébé en pleurs. Josh, pourrais-tu faire sortir la jument du van et l'emmener à l'écurie ?

Le garçon lança un bref coup d'œil à Rachel.

— Vous restez ?

— Si Rachel le veut bien.

— Josh, va donc sortir cette jument, répondit-elle, le regard fixé sur Cole.

— Tout de suite ! s'écria l'adolescent, transporté de joie.

Cole posa Hannah contre son épaule et lui caressa le dos : elle se calma immédiatement.

— On dirait que je n'ai pas perdu le coup, observa Cole avec un large sourire.

Un éclair de tendresse brilla dans les yeux de Rachel.

— Je t'aime, Rachel. Je veux t'épouser et fonder une famille avec toi et Hannah… pour le moment, ajouta-t-il avec une lueur de malice dans le regard.

— En es-tu bien sûr ?

Il acquiesça vivement.

— Depuis que je suis parti, tu as occupé toutes mes pensées. Je ne serais jamais revenu si je n'avais pas été sûr de mes sentiments.

Il sourit en plongeant la main dans sa poche.

— Je comptais t'inviter dans un grand restaurant et te faire une déclaration en bonne et due forme, mais je ne peux pas attendre.

Il lui tendit une magnifique bague sertie d'un solitaire.

— Oh, Cole, comme elle est belle ! souffla-t-elle, les larmes aux yeux.

— Pas autant que toi. Veux-tu m'épouser, Rachel ?

Elle leva vers lui un regard étincelant.

— Oui. Je le veux.

Les doigts tremblants, il lui passa la bague au doigt, puis s'écarta et effleura ses lèvres d'un baiser.

— Nous devrions sans doute coucher Hannah, puis réfléchir à ces négociations que tu as suggérées.

— Ce programme me plaît... beaucoup.

Elle glissa la main sous son bras et ils se dirigèrent vers la maison. Au même instant, Cy, qui sortit de la grange pour aider Josh à ouvrir le van, les remarqua et leur fit un signe de la main.

— Je savais que tu reviendrais, cria-t-il.

# Épilogue

Un an s'était écoulé, et l'élevage de chevaux de Cole et Rachel Parrish avait déjà acquis une solide réputation. Duke, l'étalon de Gib, avait fondé une lignée prisée dans toute la région.

Ce matin, une nouvelle jument allait lui être amenée. Cole ne put s'empêcher de sourire en voyant le magnifique animal tourner en rond dans son enclos.

— Alors, mon vieux, on ne tient plus en place ?

L'étalon répondit par un hennissement impatienté, auquel firent écho d'autres hennissements : depuis un an, le cheptel s'était agrandi de dix têtes.

Oui, bien des choses avaient changé depuis qu'il était arrivé, à la recherche d'un travail, dix-huit mois plus tôt. Les vieux bâtiments avaient été repeints. Le ranch austère était devenu une maison pimpante aux volets bordeaux, ornée de pots de fleurs. Devant le porche, à l'ombre des arbres, ils avaient installé une balancelle dans laquelle lui et sa femme aimaient passer leurs soirées.

*Sa femme...* Rachel et lui n'avaient pas mis longtemps pour décider de se marier, et il ne se passait pas un jour sans qu'il se félicite de son bonheur.

— Eh bien, à quoi penses-tu ?

Cole se retourna : Rachel venait vers lui, tenant à la main leur petite Hannah, adoptée quelques semaines seulement après leur mariage. Il la pressa contre son cœur et l'embrassa avec avidité.

— Bonjour, ma beauté, murmura-t-il contre sa bouche.

Elle s'écarta, l'œil pétillant.

— Tu m'as déjà dit bonjour... Avant de te lever, tu ne te souviens pas ?

Cole hocha la tête et posa un baiser sur son front.

— Avant de te lever, je me rappelle surtout que nous avons fait l'amour. Et j'en ai très envie maintenant.

— Non. Amy est dans la maison et Josh n'est jamais très loin d'elle.

Cole soupira.

— Sais-tu ce qu'il nous faudrait ? Une petite cachette, rien qu'à nous.

— Bonne idée. De toute façon, nous allons bientôt risquer de manquer de place.

— Pourquoi donc ?

— Hannah pourrait bien avoir un petit frère ou une petite sœur d'ici à l'hiver prochain.

Elle le regarda avec anxiété.

— Les tests sont positifs : je suis enceinte de deux mois. Je sais que tu aurais préféré attendre un peu, mais…

Il l'interrompit par un baiser passionné qui lui coupa le souffle.

— Oh, Rachel, mais c'est merveilleux !

Il l'embrassa de nouveau.

— Je suis heureuse que tu le prennes ainsi. Tout va bien se passer, tu verras.

— Je sais. Nous allons vivre cette aventure ensemble. Si tu savais comme j'ai hâte d'être père. Grâce à toi, je suis devenu un véritable chef de famille. Une maison pleine d'enfants et de joie de vivre, une femme qui m'aime… Tu as fait de moi un homme comblé, Rachel.

Elle sourit et passa le bras autour de sa taille.

— Et ce n'est que le début, mon amour.

LEIGH MICHAELS

# Une fiancée en fuite

COLLECTION HORIZON

*éditions*Harlequin

Cet ouvrage a été publié en langue anglaise
sous le titre :
BACKWARDS HONEYMOON


Traduction française de
FRANÇOISE HENRY


Ce roman a déjà été publié dans la collection
HORIZON N° 1911
en octobre 2003

# 1.

Le peigne à la main, Antoine examina une fois de plus Kathryn dans le miroir tout en déplaçant légèrement une boucle noire et soyeuse sur l'épaule de satin incrusté de dentelle blanche de sa robe. Puis, les sourcils froncés, il recula d'un pas pour avoir une vue d'ensemble. Enfin, apparemment satisfait, il saisit un flacon de laque pour fixer son chef-d'œuvre.

Kathryn s'agita nerveusement dans son fauteuil.

— Est-ce bientôt terminé ?

— Encore un peu de patience, mademoiselle ! Songez que vous devez présenter une image absolument parfaite à votre futur époux !

Antoine claqua des doigts.

— La coiffure !

Un assistant lui tendit une délicate couronne de fleurs d'oranger à laquelle se trouvait fixé un voile de tulle bordé de dentelle si arachnéen qu'il semblait flotter jusqu'au sol. Tandis que ses doigts habiles ajustaient la coiffure, Antoine murmura :

— L'imminence de la cérémonie rend mademoiselle anxieuse, c'est cela ?

— Mademoiselle est surtout anxieuse d'en finir avec cette corvée, répliqua Kathryn.

Tout en plaçant la dernière épingle, Antoine émit un claquement de langue réprobateur.

— Allons, allons. Voilà, c'est terminé. J'attendrai en haut des marches pour m'assurer que pas un de vos cheveux n'a bougé et que tout est parfait.

Dans ce cas, pensa Kathryn, elle devrait probablement compter une demi-heure supplémentaire pour se rendre de sa chambre à l'autel dressé dans la salle de bal du rez-de-chaussée…

L'assistant d'Antoine commença de rassembler ses instruments tandis que la femme de chambre de Kathryn s'approchait pour vérifier que son maquillage n'avait pas pâti de l'opération.

Kathryn la repoussa.

— C'est bon, Elsa. Allez plutôt me chercher une tasse de thé, s'il vous plaît.

— Je vais sonner pour qu'on vous en monte

une. Mais je ne pense pas que ce soit une très bonne idée, mademoiselle Kathryn. Vous pourriez tacher votre belle robe !

— Très bien, répondit Kathryn avec un soupir. Abandonnons le thé. J'aimerais toutefois rester seule quelques instants. Après toute cette agitation, j'ai besoin de me retrouver.

— Bien, mademoiselle.

A la porte, la femme de chambre s'effaça pour laisser passer l'assistant du coiffeur.

— Irritabilité prénuptiale ! chuchota celui-ci en arrivant près d'elle. C'est commun à la plupart des futures mariées, croyez-en mon expérience. L'imminence du moment où on va leur passer la bague au doigt les surexcite.

Kathryn leva les yeux au plafond.

Surexcitée… ce n'est pas ainsi qu'elle aurait défini son état d'esprit. Nerveuse et angoissée lui semblaient plus proches de la vérité. Cela dit, après avoir été manipulée toute la journée comme une poupée — et pas une poupée en porcelaine, mais plutôt un jouet soumis aux caprices d'une enfant turbulente ! —, c'était sans doute normal.

Lorsque le silence régna enfin dans la pièce, Kathryn se leva, arrangeant machinalement les plis de sa robe sans prendre la peine de s'examiner dans le miroir. Quelqu'un se chargerait de toute façon de vérifier la bonne ordonnance de sa tenue avant qu'elle puisse descendre l'escalier au bras de son père pour retrouver Douglas dans la salle de bal. Pour sa part, Kathryn se moquait de son apparence. Tout ce qui lui importait, c'était d'en terminer avec ce mariage.

Non point qu'elle doutât. Elle avait fait son choix en toute connaissance de cause et soupesé chaque point avant de décider que Douglas ferait un bon mari. Et elle ne regrettait rien : Douglas serait un parfait associé conjugal. Il possédait de bonnes manières, un physique agréable, se montrait d'humeur toujours égale et, qualité essentielle aux yeux de Kathryn, jouissait d'une aisance suffisante pour ne pas s'intéresser à son argent. De plus, son père l'appréciait au point d'en faire l'un des rouages de l'impressionnante machine de guerre qu'étaient ses affaires.

Non, la personnalité de Douglas n'était pas en cause ; simplement, la ronde incessante des préparatifs l'avait épuisée.

Finalement, supporter les contraintes d'un mariage conventionnel représentait un faible sacrifice au regard du plaisir qu'en tirait son père. Par la même occasion, elle lui fournissait le moyen idéal de remplir ses obligations mondaines vis-à-vis d'au moins cinq cents personnes en les invitant à la cérémonie…

Kathryn soupira. Ce n'était pas dans son tempérament de se montrer aussi cynique. Sans doute fallait-il voir là le résultat de mois et de mois de décisions, d'essayages et de réceptions. Heureusement, cette période appartiendrait bientôt au passé.

Elle entrebâilla précautionneusement l'une des portes-fenêtres et se glissa sur la terrasse. Bien que sa chambre donnât sur l'arrière de la maison et que les invités soient en principe regroupés du côté de la façade, elle prit garde de ne pas s'approcher de la balustrade pour ne pas risquer d'être vue.

Elle inspira lentement une bouffée d'air, savourant la première pause qu'elle s'accordait depuis le matin. Il faisait anormalement chaud pour un mois de juin dans le Minnesota nord. Si elle avait pu prévoir que l'été serait aussi précoce cette année, elle aurait choisi un tissu plus léger pour sa robe. Danser dans ce carcan allait être…

Les portes-fenêtres de la pièce voisine s'ouvrirent et un bruit de voix masculines vint titiller désagréablement ses nerfs. Décidément, même sur son propre balcon, elle ne pouvait être tranquille ! Sans doute avait-on attribué la chambre voisine à un membre du service d'ordre.

Elle tenta de s'abstraire du bruit, mais tous les bavardages entendus tout au long de la journée semblaient avoir exacerbé son ouïe et elle surprit, malgré tout, des bribes de la conversation.

— … et juste à temps, aussi, disait un interlocuteur. Un mois de plus, et Doug plongeait.

Kathryn ne perçut qu'un murmure en réponse.

— Tu te rends compte ? reprit le premier. Ses cartes de crédit sont toutes bloquées… Il a dû m'emprunter de l'argent pour la location de son smoking.

Un nouveau murmure lui répondit.

— Comment c'est possible ? Il est dans une très mauvaise passe, voilà la vérité. Il espérait que sa dernière incursion à Las Vegas… mais si, la fois où il était censé se rendre à San Diego pour démarcher des clients pour Jock, l'aurait suffisamment renfloué pour qu'il ne soit pas obligé d'en arriver là. Malheureusement, il a plongé au casino et tu sais comme ils sont chatouilleux au

214

sujet des dettes d'honneur. Si ce mariage avait été programmé un mois plus tard, Mlle Glaçon risquait de se retrouver avec un futur époux en fauteuil roulant, les deux genoux brisés.

« C'est impossible ! » se dit Kathryn. Il ne peut s'agir de Douglas…

Mais de qui d'autre aurait-il pu s'agir ? Le ton égal, détaché, de celui qui expose simplement des faits ne laissait aucun doute : l'homme disait la vérité ou, du moins, ce qu'il considérait comme telle. Bien sûr, il pouvait se tromper ; peut-être avait-il mal interprété certains faits et gestes de Douglas…

Cependant, l'impression de vide qui venait de se creuser en elle ne se dissipait pas.

Elle quitta silencieusement la terrasse et alla sonner sa femme de chambre. Les quelques minutes précédant l'arrivée de cette dernière lui parurent une éternité.

Douglas, pensait-elle, joueur invétéré au point de voir dans un voyage à Las Vegas un moyen de se refaire une santé financière ? Un homme tellement à court d'argent qu'il n'avait même pas les moyens de se vêtir pour son propre mariage ? Elle l'avait si souvent vu porter des tenues de soirée qu'elle ne parvenait pas à imaginer qu'il ne possède même pas de smoking. Douglas, désespéré au point de… de lui mentir et de combiner ce mariage…

Après un léger coup frappé à la porte, Elsa entra. Kathryn s'efforça d'adopter une attitude relativement sereine et contint sa première impulsion qui avait été de l'expédier auprès de Jock Campbell afin de lui demander de monter immédiatement la rejoindre. Cela aurait été de la dernière maladresse. Personne mieux qu'elle ne savait à quelle prodigieuse vitesse les nouvelles se répandaient dans la maisonnée. Qu'Elsa soupçonne un instant ce qu'elle avait en tête et le maître d'hôtel, le jardinier — et même le livreur de journaux — seraient au courant avant même Jock Campbell.

— Pouvez-vous demander à mon père de monter un instant ? demanda-t-elle d'un ton mesuré.

— Mais c'est que… il est en train d'accueillir les invités, mademoiselle Kathryn. Et puis, vous m'avez confié qu'il se montrait si émotif à l'idée de vous perdre que vous préfériez ne pas le voir avant le moment de vous rendre à l'autel…

— J'ai changé d'avis. J'aimerais passer un peu de temps avec lui. Dites-le-lui, s'il vous plaît.

216

Sur un hochement de tête, Elsa se retira.

Kathryn se mit à arpenter la pièce. A plusieurs reprises, ses mains se portèrent vers sa nuque, là où se terminait la rangée des cinquante minuscules boutons de nacre qui fermaient sa robe et qui, tout en lui donnant son cachet, l'empêchaient aussi de l'enlever sans aide extérieure.

Elle s'immobilisa brusquement. A quel instant avait-elle décidé que, quoi que dise son père, elle ne se marierait pas ?

Un petit coup fermement frappé à la porte la fit sursauter. Jock Campbell passa la tête par l'entrebâillement.

— Puis-je entrer ?

Kathryn se tourna vers lui.

— Papa…

Ne sachant que dire, elle se mordit la lèvre. Pourquoi n'avait-elle pas préparé son discours avant de le convoquer ?

— Tu es superbe, ma chérie. Aussi belle que ta mère, ce qui n'est pas peu dire… Elsa semble penser que tu te sens un peu seule. Désirerais-tu la compagnie de ton vieux père ?

— Il faut que je te parle, papa. J'ai… j'ai réfléchi.

— Tu te maries dans moins d'une demi-heure ; crois-tu que ce soit le moment ?

— Justement, c'est au sujet de Douglas. Il… il…

— Un garçon très bien, Douglas. Le gendre idéal.

Kathryn inspira profondément.

— Ne t'es-tu jamais posé de questions à son sujet ?

Etait-ce une lueur d'hésitation qui venait de briller dans les yeux de son père ?

— Non, ma chérie, répondit-il néanmoins avec fermeté. Et ce n'est pas le doute qui te ronge en ce moment, mais la nervosité pure et simple. Si ta pauvre mère était encore de ce monde, elle te raconterait comment elle m'a envoyé chercher quelques minutes avant le début de la cérémonie pour me faire part de son désir de tout annuler. Elle s'est tout de suite ravisée, bien sûr. Et regarde la façon dont les choses ont tourné ! Nous avons connu vingt-cinq ans de bonheur, et il durerait encore si…

La voix de Jock Campbell s'étrangla comme chaque fois qu'il évoquait la disparition de sa femme. Et, étant donné les circonstances, il lui fut encore plus difficile de se ressaisir.

— Désolée de te contredire, papa, mais il ne s'agit pas d'une banale nervosité.

— Ne sois pas ridicule, Kathryn, dit-il d'un ton sévère. Toutes les futures épouses connaissent cet état. Si elles suivaient leur penchant, l'institution du mariage n'existerait plus ! Je descends chercher Douglas. Quand vous aurez parlé tous les deux, tu me présenteras tes excuses pour avoir douté de mon jugement et puis nous nous rendrons à l'autel.

— Non !

Sous l'effet de la panique, le cri avait jailli spontanément. Devant le bref froncement de sourcils de Jock, Kathryn reprit plus doucement :

— S'il te plaît. Je ne veux pas le voir.

— Tu as peur de l'affronter ?

Peur, le mot était faible.

— Non… bien sûr que non. C'est juste que… il ne doit découvrir ma robe qu'au dernier moment.

Venant en complète contradiction avec sa précédente affirmation, l'excuse était évidemment absurde. Cependant, Jock Campbell sembla s'en contenter et secoua la tête avant de sortir.

Bien joué, Kathryn ! Maintenant, le compte à rebours était déclenché. Jock allait descendre l'escalier de son pas tranquille, puis il parcourrait des yeux la foule des invités afin de localiser son futur gendre, l'attirerait à l'écart sous un quelconque prétexte et enfin reviendrait avec lui. Il ne s'écoulerait guère plus d'un quart d'heure avant qu'ils ne frappent à sa porte, estima-t-elle.

Elle croyait déjà entendre Douglas se défendre avec la dernière indignation des accusations proférées contre lui. Et comment se justifierait-elle auprès de son père ? En expliquant qu'elle préférait ajouter foi aux bavardages d'un inconnu plutôt qu'aux cris d'innocence de celui à qui elle était censée accorder sa confiance ?

Impossible. Elle ne se sentait pas de taille à les affronter ensemble. Ce qui ne lui laissait qu'une possibilité…

Kathryn ouvrit d'un geste brusque son placard, en tira un jean, des tennis, le premier chemisier qui lui tomba sous la main et se précipita dans la salle de bains. Alors, saisissant des deux mains chaque côté de son col, elle tira si violemment sur le tissu que les boutons volèrent en tous sens, avant de rebondir sur le carrelage avec de petits crépitements secs.

Elle se débarrassa prestement de sa robe et la poussa du pied dans le receveur de la douche, y expédiant d'un même mouvement ses chaussures de satin, avant d'enfiler son jean. Puis elle arracha son voile sans se soucier des épingles qui lui tiraient les cheveux et glissa ses pieds dans les tennis. Alors seulement, elle se rappela qu'elle n'avait pas un sou sur elle. Guettant prudemment les bruits en provenance de l'extérieur, elle se dirigea silencieusement vers sa chambre. Sur son lit l'attendait la tenue de voyage qu'elle aurait dû passer après la cérémonie. Elle posa dessus, bien en évidence, sa bague de fiançailles et se saisit du sac à main préparé à côté. C'était tout ce qu'elle avait le temps d'emporter.

Tout en boutonnant son chemisier, elle courut de nouveau à la salle de bains dont elle ferma la porte derrière elle avant de se précipiter vers le salon attenant. Celui-ci donnait sur un palier desservi par l'escalier de service. La voie étant libre, elle dévala les marches. En bas, elle jeta un coup d'œil prudent en direction de la cuisine et constata avec soulagement qu'il n'y avait personne, tous les employés devant s'être rendus à la salle de bal pour assister à la cérémonie.

Cérémonie qui n'aurait pas lieu.

A la porte de service, Kathryn marqua une pause avant de se diriger rapidement vers le plus

221

proche des gros arbres, puis elle traversa le jardin en se cachant de tronc en tronc. Son plan était si simple qu'il pouvait se résumer en un mot : fuir. Peu importait où et comment.

A mesure que la distance entre la maison et elle se creusait, les battements de son cœur commencèrent à se calmer. Passé la première haie, elle s'interrogea sur le moyen de sortir de la propriété.

Sans rien avoir d'un château fort, avec ses hauts murs de brique et son impressionnant portail de fer forgé, la grande maison de style géorgien de Jock Campbell n'en restait pas moins bien protégée. En sortir n'était pas plus aisé que d'y entrer, surtout en ce jour où les dispositifs de sécurité avaient été renforcés en prévision de la tentation que représentaient les cadeaux de mariage, sans parler des bijoux exhibés par un nombre impressionnant d'invités. Et d'ici peu, dès que Jock aurait découvert sa robe de mariée abandonnée, il deviendrait pratiquement impossible de déjouer l'attention des gardiens.

Elle réfléchissait au problème, essayant de trouver le point faible de la défense de son père quand, jaillissant de derrière une haie, elle déboucha dans l'étroite allée qui longeait le cottage du jardinier et trébucha sur des jambes dépassant de sous une vieille voiture. Un grognement se fit entendre et un corps étendu sur un chariot se dégagea peu à peu de sous le véhicule.

— Qu'est-ce que…

Le regard de Kathryn glissa lentement d'une paire de tennis usagées à un jean délavé surmonté d'un T-shirt taché de graisse. Elle découvrit de larges épaules, un visage hâlé, une masse de cheveux bruns tout ébouriffés et des yeux sombres qui la dévisageaient avec irritation.

— Vous ne pouvez pas regarder où vous allez ? grommela l'homme.

— Excusez-moi, je réfléchissais.

— Je vois. Vous êtes de ces personnes qui ne peuvent en même temps penser et marcher !

Il s'assit et soudain son regard s'aiguisa.

— Mais… dites-moi, vous êtes censée vous marier d'ici quelques instants !

— Vous devez confondre avec une autre.

— Vraiment ? Dans ce cas, que fait ce pétale de fleur d'oranger dans vos cheveux ?

Kathryn secoua des deux mains ses cheveux et en arracha du même coup les épingles qui n'étaient pas parties avec son voile, réduisant

223

définitivement à néant le laborieux travail d'Antoine.

— Katie Mae Campbell en chair et en os…, murmura l'homme.

— Personne ne m'a appelée ainsi depuis mes six ans ! riposta Kathryn. Et je n'ai pas l'intention de faire la moindre exception. Mlle Campbell, si vous voulez ou, si vous insistez, Mlle Kathryn.

— Et vous vous attendez à ce que, en bon domestique, je m'incline respectueusement pour vous saluer, c'est ça ?

D'un mouvement souple il se leva, s'empara d'un chiffon posé sur l'aile de la voiture et s'essuya les mains.

Il était plus grand qu'elle ne l'avait supposé, constata-t-elle en renversant la tête pour croiser son regard.

— Qui êtes-vous, d'abord ?

— Jonah Clarke, le fils du jardinier, si ce nom vous évoque quelque chose.

— Bien sûr. C'est grâce à votre éducation que vous avez reconnu les fleurs d'oranger à leurs seuls pétales ?

— Mon père serait fier de moi. Et il aurait été très honoré de recevoir votre visite. Malheureusement, il s'est rendu à la maison des maîtres pour assister à votre mariage. Ce qui nous ramène à notre point de départ.

— Pourquoi ne l'avez-vous pas accompagné ? demanda-t-elle avec une réelle curiosité.

— Je n'ai pas été invité, figurez-vous. Je suis juste venu rendre visite à mon père.

Il jeta le chiffon.

— Alors, mademoiselle Kathryn, si vous m'expliquiez ce qui se passe…

— Je ne me marie plus.

— C'est ce que j'ai cru comprendre. Et quels sont vos projets ?

— Je… je pars.

— Je vois. Eh bien, si vous cherchez votre Porsche, je vous rappelle que votre garage se situe de l'autre côté de la propriété.

Elle le considéra tout en se mordant la lèvre inférieure. Le temps pressait et s'attarder à discuter ne la mènerait nulle part.

— Jonah…, commença-t-elle. Vous savez très bien que je…

— M. Clarke fera l'affaire, dit-il en imitant son ton. Ou si vous préférez… Non, restons-en à M. Clarke, finalement.

— Monsieur Clarke, dit-elle fermement, vous avez grandi ici, si je ne m'abuse…

Il acquiesça de la tête.

— Vous savez donc s'il existe un moyen de sortir de la propriété autrement que par la grande porte…

Il leva un sourcil.

— Seriez-vous en train d'insinuer que je faisais le mur à la nuit tombante ?

— N'est-ce pas exact ?

— Bien sûr que si ! répliqua-t-il en souriant.

— Comment ?

— Ça, je ne vous le dirai pas.

Elle le saisit par la manche.

— Je vous en prie ! Je suis dans une situation désespérée. Il faut que je sorte très vite d'ici ! M'aiderez-vous, oui ou non ?

Le regard de Jonah Clarke se rétrécit entre ses paupières.

— Et qu'en tirerai-je, à part de gros ennuis quand votre père me mettra la main au collet ?

Elle le dévisagea.

— Combien voulez-vous ?

— Vous envisagez de me…

Il s'interrompit brusquement et haussa les épaules.

— Laissez tomber, Katie Mae. On ne devrait pas laisser en liberté des gens comme vous.

— Je vous ai déjà demandé de ne pas m'appeler…
Oh ! après tout, vous pouvez m'appeler comme
vous voulez si vous m'aidez à sortir d'ici !

— Considérez-vous que ce soit une récompense
suffisante ?

Il lui tourna le dos et se dirigea vers le garage
dont il ressortit bientôt avec une grosse clé
ancienne qu'il agita sous le nez de Kathryn.

— Je vous donnerai tout ce que vous voudrez !
s'exclama la jeune femme dans un élan de
gratitude.

— Je vais y réfléchir et je vous ferai part de
ma décision. Maintenant, venez.

Kathryn dut presque courir pour le suivre
tandis qu'il gagnait le couvert des arbres à
grandes enjambées.

— Où comptez-vous aller ? demanda-t-il par-
dessus son épaule.

— Vous n'imaginez tout de même pas que je
vais vous le dire !

— Ça veut dire que vous ne savez pas.

— Ça veut dire que j'ai trop peur que vous
alliez vendre l'information à mon père dès que
j'aurai le dos tourné !

— C'est ça. J'irai le trouver et lui dirai :
« Salut, Jock. Je sais où est votre fille. Elle m'a

confié sa destination pendant que je l'aidais à faire le mur. » Je suis sûr qu'il me récompensera grassement, juste après m'avoir mis son poing dans la figure !

— Cette clé… ça signifie qu'il existe une porte ?

— Je préfère ne pas vous confier tous mes secrets. Si ça venait aux oreilles de votre père, il la ferait murer en un rien de temps et, qui sait ? j'en aurai peut-être encore l'usage.

— Pour vous esquiver à l'insu de votre père ? demanda-t-elle d'un ton suave.

— Ce n'est pas la première éventualité qui me serait venue à l'esprit, mais pourquoi pas ?

Il s'arrêta tout à coup.

— C'est là.

Devant Kathryn se dressait un haut mur croulant sous la vigne vierge, mais rien qui ressemblât à une porte.

— Où est-elle ?

— Bonne cachette, n'est-ce pas ? La vigne était déjà là quand j'ai découvert l'endroit et ça m'a pris pas mal de temps pour arranger les branches de façon qu'elles ne cassent pas quand j'ouvrais la porte. Voyons si le système fonctionne toujours…

Il écarta un pan de feuillage qui masquait une épaisse porte de bois. La clé glissa silencieusement dans la serrure et la porte tourna sur ses gonds avec un léger grincement. De l'autre côté de l'épais mur, un rideau de verdure dissimulait de la même façon l'ouverture. En se penchant, Kathryn découvrit un bois de pins qui s'étendait à perte de vue et examina d'un air incertain le sous-bois envahi de broussailles et de ronces.

— Où... où sommes-nous ?

— Quel boy-scout vous auriez fait ! La route d'Etat passe à environ cinq cents mètres.

— Je suppose que là-bas, je pourrai faire du stop, dit-elle en se mordant la lèvre.

— Je vous suggère de vous dépêcher, sinon vous pourriez bien tomber sur l'un de vos invités.

— Et si vous m'accompagniez..., murmura-t-elle après un instant d'hésitation.

Elle l'entendit proférer un juron entre ses dents.

— Jonah, je veux dire, monsieur Clarke, vous ne toucherez jamais la récompense de vos services si vous ignorez où je me trouve !

Il secoua la tête sans répondre.

— Je dois avoir perdu l'esprit ! marmonna enfin Jonah. Très bien, je m'inscris pour l'aventure.

Elle eut un sourire de triomphe.

— Alors refermons la porte et allons-y !

Jonah la retint par le bras.

— Pas si vite ! Je suis peut-être masochiste, mais pas idiot. Les gardiens m'ont pointé à mon arrivée ; si je ne figure pas sur la liste des sortants, ils ne mettront pas longtemps à faire le rapprochement et je les aurai à mes trousses en même temps que vous.

— Je n'avais pas pensé à ça…

— Ni à d'autres détails, je parie. Quoi qu'il en soit, je n'ai aucune envie d'être poursuivi par le FBI pour enlèvement.

— Mais qu'est-ce que vous racontez ? Pourquoi iraient-ils imaginer une chose pareille ?

— Vous a-t-on vue vous enfuir ?

Elle fit signe que non.

— Avez-vous dit à quelqu'un où vous alliez ?

— Euh… non.

— Comment sauraient-ils donc que c'est votre idée et pas celle d'un autre ? Ecoutez, nous perdons du temps à discuter. Vous allez marcher à travers les arbres, droit vers le soleil couchant jusqu'à un petit parking de bord de route. Ce n'est pas très loin. Pendant ce temps, je vais rentrer, prendre ma voiture et ressortir comme si de rien n'était. Je devrais arriver avant vous au parking, mais, si ce n'était pas le cas, cachez-vous derrière les arbres en m'attendant.

Il souleva la vigne vierge et se glissa par l'ouverture.

— Jonah… merci, murmura Kathryn.

— Vous me remercierez quand nous serons tirés d'affaire.

La porte se referma avec un discret grincement. Elle était seule.

Le regard fixé sur la lumière qui éclairait le couchant — tout ce qu'elle pouvait apercevoir du soleil —, Kathryn marchait aussi rapidement que possible. La nuit semblait tomber plus vite qu'à l'accoutumée et elle n'osait songer à ce qui se passerait si l'obscurité la surprenait dans le bois. La bombe au poivre qu'elle gardait toujours dans son sac ne lui servirait sûrement pas à grand-chose contre un ours, un cougouar ou n'importe quel animal sauvage. Heureusement, avant même qu'elle eût pris conscience que le bois s'éclaircissait, elle déboucha sur un minuscule parking. Il n'était pas aussi tard qu'elle le craignait. Maintenant qu'elle ne se trouvait plus sous l'abri des arbres, elle pouvait voir que le soleil entamait seulement sa descente vers l'horizon. La vieille voiture sur laquelle travaillait Jonah tout à l'heure stationnait dans un chemin tandis que lui-même consultait une carte étalée sur une table de pique-nique. Elle constata qu'il avait pris le temps d'échanger son T-shirt graisseux contre un pull de la couleur de ses yeux.

Kathryn parcourut les derniers mètres presque en courant.

— Vous êtes formidable ! Comment saviez-vous que je déboucherais précisément ici ?

Il leva les yeux de la carte.

— Etant donné que vous ne connaissez pas le chemin, c'est un coup de chance. Je commençais à me demander si vous n'aviez pas changé d'avis.

— En vous laissant vous morfondre ici à vous demander ce qui m'était arrivé ? Jamais de la vie !

— On peut toujours rêver, murmura-t-il. Allons, ne perdons pas de temps.

Ils s'installèrent dans la voiture et Jonah démarra.

— Où allons-nous ? s'enquit Kathryn.

232

— Ça dépend de vos projets. Vers le nord, nous tombons sur la frontière canadienne.

— J'ai mon passeport !

Il la dévisagea.

— Vous êtes partie sans autres vêtements que ceux que vous portez, mais vous avez pris votre passeport ?

— Pas délibérément. Je n'envisageais pas de quitter le pays. Seulement, comme nous devions partir pour les Bermudes en voyage de noces, mon passeport se trouvait dans mon sac.

Elle agita l'objet devant lui tout en se demandant comment Douglas envisageait de payer le voyage. Peut-être avait-il espéré qu'elle s'en chargerait ?

— Je crois que nous ferions mieux de nous diriger vers le sud, dit Jonah. Nous sommes à trois heures de route des cités jumelles de Saint Paul et Minneapolis ; ça vous laisse le temps de réfléchir.

— Trois heures, vous plaisantez ? Je ne mets pas autant de temps pour m'y rendre.

— Parce que vous empruntez l'autoroute. Ce que nous éviterons, car c'est là qu'ils nous chercheront d'abord.

— Je n'avais pas pensé à ça.

— Vous ne pensez pas à grand-chose, Katie Mae.

— Je dois reconnaître que c'est une chance que vous ayez décidé de m'accompagner. Ils vont chercher une femme seule, pas un couple. C'est la situation idéale.

— La situation idéale ? Comme vous y allez ! Expliquez-moi donc plutôt pourquoi cette subite décision de tout laisser tomber. Vous n'allez pas me raconter que vous projetiez cette fugue depuis des semaines.

Elle sourit.

— Oh non ! Ça a été soudain. Pour tout dire, j'ai découvert cet après-midi que Douglas m'épousait pour mon argent.

Malgré elle, sa voix trembla légèrement. Admettre qu'on s'est laissé abuser n'est jamais aisé.

— Pour l'argent de votre père, vous voulez dire.

— Non, le mien ! insista Kathryn. Quand papa a créé sa chaîne de restaurants Katie Mae's Kitchens, il a mis trente pour cent des actions de la compagnie à mon nom.

— Quel âge aviez-vous ?

Kathryn réfléchit un instant.

— Trois ans ; quatre, peut-être.

— Magnifique idée. Un actionnaire majoritaire incapable d'épeler son nom et encore moins de s'y retrouver dans les méandres de la Bourse !

Kathryn préféra ignorer la remarque.

— Quoi qu'il en soit, Douglas s'est trouvé dans l'obligation de m'épouser pour éponger ses dettes.

Un long silence s'ensuivit.

— Vous avez pris la décision qui s'imposait, dit finalement Jonah d'un ton rogue.

— Contente que vous approuviez.

— Je parle de la décision de laisser choir Douglas. Pour ce qui est de votre fuite, c'est plus discutable. Pourquoi ne pas avoir tout expliqué à votre père ?

— J'ai essayé…

— Jock ne vous a pas crue ?

— Il a confiance en Douglas.

Le ronronnement du moteur berçait Kathryn. La tension de la journée s'effaçait, peu à peu remplacée par une lassitude résignée.

— Je n'ai jamais pensé que Douglas m'aimait, dit-elle comme pour elle-même. Ça m'était égal puisque je ne l'aimais pas non plus. Seulement, je croyais qu'il me respectait. Découvrir qu'il ne s'agissait, encore une fois, que d'argent…

— Encore une fois ?

Elle hocha la tête.

— Toute ma vie, les gens se sont plus intéressés à mon argent qu'à moi-même, mais cela n'avait jamais atteint ces proportions. Les autres n'étaient pas aussi rompus à la dissimulation que Douglas ; je pouvais vite les percer à jour.

— Les faits se sont donc reproduits ?

— Chaque fois que je suis sortie avec un garçon, précisa-t-elle avec un soupir. C'est d'ailleurs pour échapper à tous ces coureurs de dot que j'avais décidé d'épouser Douglas.

— La chance de leur échapper définitivement vous est maintenant offerte. C'est une occasion que vous ne devez pas laisser passer.

— Vous avez raison, dit-elle doucement. C'est la chance de ma vie.

Elle se tourna vers lui et prit une profonde inspiration.

— Jonah, voulez-vous m'épouser ?

# 2.

Les mains de Jonah se crispèrent si brusquement sur le volant que la voiture fit une embardée, franchissant la ligne blanche. Il en reprit le contrôle en maugréant. Que sa passagère soit atteinte de folie douce ne l'autorisait pas à distraire son attention de la route.

— Vous avez failli nous jeter contre ce poids lourd, fit froidement remarquer Kathryn.

— Il se trouvait à plus de deux cents mètres ! se défendit Jonah.

— Mais il se rapprochait vite. Que se passe-t-il ? Je vous ai choqué ?

— Plutôt, oui. Qu'est-ce qui vous prend de me poser une question pareille ?

— Elle me semblait pourtant claire.

— Excusez-moi, mais je ne comprends pas très bien. Alors que vous êtes sur le point d'échapper à vos nombreux prétendants, vous proposez le mariage à un parfait inconnu ?

Kathryn haussa les épaules.

— C'est un malentendu. Je croyais que nos pensées suivaient la même direction.

— Comment ça, la même direction ? s'exclama Jonah. Je soulignais juste la possibilité qui s'offrait à vous de changer de vie. En vous installant dans une ville où le nom de Kathryn Campbell n'évoque rien de particulier, si un homme vous poursuit de ses assiduités, vous pourrez être sûre que ce sera pour vos beaux yeux.

— Serai-je jamais sûre ? demanda-t-elle avec mélancolie. Comment être certaine qu'il ne s'est pas discrètement renseigné ?

Elle avait raison. Il existe toujours des moyens de percer les secrets des gens et, dans ce genre d'affaires, un homme intéressé devait avoir plus d'une corde à son arc.

— Changez donc d'identité ! Et si vous entrez comme serveuse dans un Katie Mae's Kitchens, vous apprendrez vite à distinguer qui est sérieux de qui ne l'est pas.

— Je me dissimulerais dans la chaîne de restaurants de mon père ?

— C'est bien le dernier endroit où il vous

cherchera… Mais je présume que, privée du luxe auquel vous êtes accoutumée, vous ne tiendriez pas une journée. Et il est difficile de passer incognito en tailleur de haute couture, au volant d'une Porsche.

— Combien voulez-vous parier que je me passe de tout ce luxe ? De plus, je ne possède pas de Porsche et n'ai pas l'intention d'en avoir une…

— Vous préférez peut-être les Jaguar. Ne changez pas de sujet, Katie. Ce n'est vraiment pas une question à poser ! A moins que vous ne proposiez le mariage à tous les garçons que vous rencontrez ?

— Ne dites pas n'importe quoi ! Je pensais juste que vous pourriez… Enfin, il me semble que tout le monde apprécierait qu'un peu d'argent lui tombe du ciel, non ?

— Je suppose. Seulement…

— Nous pourrions conclure une sorte de marché. Je vous dois bien ça.

— Vous m'avez laissé le choix de la récompense, rappelez-vous… Enfin, Katie, vous n'êtes pas sérieuse ! Vous me paieriez pour vous épouser dans le but d'éviter d'être courtisée pour votre argent ? Ça n'a pas de sens !

— Au contraire ! Les termes du contrat seraient clairs. Pas d'intrigues ni de mensonges.

Elle se tourna vers la fenêtre.

— Oh ! et puis oublions ça !

Jonah ne demandait pas mieux, mais la question de Kathryn lui trottait dans la tête, en même temps que lui revenait une phrase proférée d'une voix triste : « C'est d'ailleurs pour échapper à tous ces coureurs de dot que j'ai décidé d'épouser Douglas. »

A présent, il entrevoyait la logique tortueuse du plan de Katie Mae Campbell. Elle s'accordait avec l'exploit de sa fuite.

— Vous êtes en train de dire que vous préférez épouser un honnête coureur de dot plutôt qu'un homme intéressé qui ferait semblant d'être amoureux de vous, dit-il pensivement

— Ainsi, je saurai à quoi m'en tenir.

Curieusement, il n'y avait pas trace d'amertume dans sa voix, seulement une tristesse résignée. Jonah éprouva soudain le désir de chasser cette tristesse. Ce qui, se dit-il sévèrement, risquait de se révéler très vite dangereux.

— Qu'allez-vous faire ? demanda-t-il.

— Maintenant que vous avez repoussé mon

offre ? Je n'en sais trop rien. Probablement chercher un autre candidat.

Il s'agissait tout bonnement d'autodestruction. C'était même à se demander comment elle avait réussi à survivre jusqu'ici. Livrée à elle-même, elle serait la proie rêvée des requins.

Il fit l'effort d'appréhender la situation de son point de vue. Son prénom était connu dans tout le pays ; sa photographie d'enfant, un symbole de réussite financière. Pas facile, dans ces conditions, de croire qu'on puisse être aimé pour soi-même.

— Qu'est-ce qui vous a fait pencher en faveur de Douglas ?

— A l'origine, sa famille exploitait un gisement de minerai de fer dans Mesabi Range, puis ils se sont reconvertis dans la finance. Sa part de la fortune familiale aurait pesé autrement lourd dans la balance que les trente pour cent de Katie Mae's Kitchens.

— Vous êtes donc intéressée ?

— Je pensais que quelqu'un qui posséderait de l'argent ne s'intéresserait pas au mien. Mais c'était une erreur. Il va falloir que j'essaie autre chose.

Elle ajouta, regardant droit devant elle :

— Dommage. Tant qu'à faire, j'aurais préféré que vous soyez l'élu, Jonah.

— Dois-je prendre cette remarque pour un compliment ? Vous ne me connaissez même pas.

Elle lui jeta un regard.

— Et alors ? J'en savais long sur Douglas, mais j'ignorais tout de ses dettes de jeu, c'est-à-dire le principal.

— Il m'arrive de miser cinq dollars sur une équipe sportive, dit-il d'un ton de mise en garde.

Kathryn haussa les épaules.

— La belle affaire ! D'autre part, je connais votre père et je sais que vous avez grandi sur la propriété. A mes yeux, c'est l'essentiel.

— Si vous pensez que ça nous rapproche, regardez-y de plus près. La distance est énorme entre la grande maison et le cottage du jardinier.

— Bien sûr. Malgré tout, vous êtes mieux placé que quiconque pour comprendre ce que j'ai vécu.

En un éclair, il revit le passé, la petite fille riche qu'il apercevait de temps à autre. Katie Mae Campbell n'était pas seulement isolée par les murs et les grilles qui l'entouraient, mais aussi par son statut social. On avait découragé les enfants vivant sur la propriété Campbell d'entrer en contact avec elle et Jonah n'avait jamais transgressé l'interdiction. Leurs rares rencontres avaient été le fruit du hasard. Par ailleurs, il était son aîné de six ans et s'estimait trop mûr pour rechercher la compagnie d'une petite fille aux boucles brunes et aux grands yeux couleur ardoise ; une petite fille continuellement vêtue de dentelles et qui donnait l'impression de n'avoir jamais rêvé de grimper à un arbre.

Quelle solitude avait dû être la sienne… ! songea-t-il.

— Vos parents étaient bien obligés de vous protéger. Après la tentative d'enlèvement…

— Je sais, dit-elle avec résignation.

Mais, tout à coup, sa voix s'éclaira d'une note de triomphe.

— Vous voyez bien ! Vous comprenez ce que j'ai vécu !

— J'en ai une petite idée.

— Et je sais que vous êtes gentil. Sinon, vous ne m'auriez jamais aidée à quitter la propriété. Très gentil, même, car sans cela vous ne m'auriez pas accompagnée.

Un peu dérangé serait un terme plus exact, rectifia-t-il *in petto*.

Il laissa le silence retomber avant de dire :

— Nous devrions chercher une cabine téléphonique pour que vous puissiez appeler votre père. Qu'il sache au moins que vous êtes saine et sauve.

Elle eut un petit rire.

— Et vous me reprochez mon manque de logique ?

— Vous n'avez même pas laissé de mot.

— Pas eu le temps !

— Il doit se morfondre d'inquiétude…

— Jonah, la maison est tellement truffée d'écoutes qu'il ne lui faudra pas quinze secondes pour localiser mon appel.

— Il y a peut-être un moyen…

— Dans ce cas, vous êtes le plus grand génie électronique du siècle. Le système de sécurité est si perfectionné que mon père…

Sa voix chevrota.

— Qu'il a pu dire exactement au FBI d'où téléphonaient les bandits qui menaçaient de vous enlever s'il ne payait pas, termina Jonah. Je me souviens. C'est justement pourquoi vous ne pouvez le laisser dans l'angoisse aujourd'hui.

— Le système a encore été amélioré depuis.

— Je vais trouver un moyen de lui faire parvenir un message. Il n'est plus tout jeune, Katie. Ne lui causez pas de tracas inutiles.

— Qui êtes-vous exactement ? Son médecin ?

Elle poussa un soupir résigné avant d'ajouter :

— D'accord. Mais si votre plan échoue et qu'il me retrouve, je vous tiendrai pour personnellement responsable.

— Peut-être sera-t-il si heureux de vous entendre que vous aurez envie de rentrer à la maison de votre propre chef…

Elle ne répondit pas, mais lui adressa une mimique éloquente.

— A propos de ce marché, que diriez-vous de quinze pour cent des parts de Katie Mae's Kitchens ? reprit-elle au bout d'un moment.

— Quinze pour cent du total ou quinze pour cent de vos parts ? Je pose la question par pure curiosité.

Elle lui jeta un regard de biais.

— Pure curiosité, bien sûr. Je parlais de quinze pour cent du total. Ce qui m'en laisse autant. Mon père en détient quarante et le reste est partagé entre divers investisseurs. Ça ne changera donc pas grand-chose ; je resterai l'un des principaux actionnaires.

Jonah secoua la tête.

— Il faudrait apprendre l'art de la négociation, Katie. Avec un peu d'astuce, vous vous en tiriez pour cinq pour cent. Dix au plus.

— Pourquoi y aller par quatre chemins ? Je préfère que les choses ne traînent pas, rétorqua-t-elle sèchement.

La proie rêvée, pensa-t-il de nouveau.

Un quart d'heure plus tard, comme ils arrivaient en vue d'une petite ville, Jonah ralentit.

— Je me demande s'il y a une librairie…

— Elle ne sera certainement pas ouverte un samedi soir. Que désiriez-vous ?

— Un accès public à un ordinateur. Nous aurions pu envoyer un e-mail à votre père. Il a bien une adresse électronique, non ?

— Oh oui ! Son nouvel ordinateur est un gadget à peine plus grand qu'une télécommande. Il l'emporte partout avec lui. Mais ne peut-on par ce biais remonter jusqu'à nous ?

— Je ferai en sorte que non.

— Dans ce cas, il y a une solution plus simple, dit-elle en désignant un immeuble situé de l'autre

246

côté de la route. Regardez l'enseigne lumineuse dans la vitrine de ce bar.

— Accès à Internet, lut Jonah. Parfait.

Il engagea la voiture sur le parking.

Le bar comptait peu de clients. Comme Kathryn se dirigeait vers la rangée d'ordinateurs disposée contre l'un des murs, Jonah la prit par le bras et l'entraîna vers un tabouret. En réponse à son regard interrogateur, il murmura :

— Nous risquons de nous faire remarquer si nous nous intéressons trop vite à l'ordinateur. Que prendrez-vous ?

— Comme vous.

— Pour moi, ce sera une grande tasse de café bien noir et sans sucre. Mais si vous préférez quelque chose de moins banal…

— J'aimerais que vous vous ôtiez de l'idée que je n'apprécie que ce qui est coûteux ou exotique !

Après avoir passé la commande à la serveuse, Jonah demanda d'un ton dégagé :

— Qu'a de particulier l'ordinateur du coin, celui qui est isolé ?

La serveuse se retourna.

— Il dispose de la reconnaissance vocale. Ça

rend de grands services à certains clients qui ne savent pas taper ; il suffit de parler.

Jonah lui adressa son plus charmant sourire.

— Pouvez-vous me mettre sur la liste d'attente ?

— Je vais m'assurer que vous serez le prochain utilisateur, répondit-elle avec un regard de velours.

— Vous n'avez pas honte ! s'exclama Kathryn quand la jeune femme s'éloigna. Flirter ainsi avec la serveuse !

— Je me suis juste montré poli ! se récria-t-il avec indignation.

— Possible ; mais maintenant, elle va vous couver des yeux et boire la moindre de vos paroles tant que vous resterez assis là. Pour quelqu'un qui ne voulait pas se faire remarquer, c'est réussi !

Leurs cafés furent bientôt servis.

— Le client qui utilise l'ordinateur est un habitué, dit sur un ton confidentiel la serveuse à Jonah. Je lui ai demandé de le libérer dans cinq minutes.

— Merci.

Quand ils se retrouvèrent peu après dans l'étroit espace, Jonah établit la communication.

— Tenez, dit-il en tendant le micro à Kathryn.

Elle marqua une seconde d'hésitation.

— Vous êtes certain que papa ne saura pas d'où j'appelle ?

— Si son système saisit une information, ce dont je doute, il lui dira que vous êtes à Seattle. Vous pouvez y aller.

Elle composa le numéro de la ligne privée de Jock Campbell et, quelques instants plus tard, la voix de son père lui parvint par l'intermédiaire des haut-parleurs.

— Papa ?

— Kathryn ! Dieu soit loué ! Où es-tu chérie ? Est-ce que ça va ?

— Je vais bien, papa.

— Tu rentres à la maison, n'est-ce pas ? Douglas est près de moi. Il est dans tous ses états et ne comprend pas plus que moi les raisons de ton départ, mais il est prêt à passer l'éponge.

Kathryn échangea un regard avec Jonah, perché sur le bras de son fauteuil.

— Ainsi, il veut toujours m'épouser ?

— Mais naturellement, chérie !

249

Les tonalités élégantes de la voix de Douglas s'élevèrent en arrière-fond :

— Dites-lui que nous avons tous deux commis des erreurs et que je lui pardonne.

— Dommage pour lui, riposta sèchement la jeune femme, parce que moi, je ne lui pardonne pas. Demande-lui donc des nouvelles de son dernier voyage à San Diego, papa. Et pendant que tu y es, jette aussi un coup d'œil à ses finances.

— Que me racontes-tu, Kathryn ? Je t'entends mal. On dirait qu'il y a une interférence.

— Raccrochez, marmonna Jonah.

— Y a-t-il quelqu'un près de toi ? demanda Jock d'un ton brusquement soupçonneux. Quelqu'un qui te dicterait tes paroles ?

— Non, papa. Je voulais juste te rassurer. Ne m'attends pas pour le moment.

— Kathryn...

Elle coupa la communication et se tourna vers Jonah.

— Voilà. J'ai essayé d'être raisonnable. Etes-vous satisfait ?

Il hocha la tête, l'esprit ailleurs, puis ils regagnèrent leurs tabourets.

— Bon, maintenant que la question de mon

père est réglée, si j'ose dire, quelle est la suite du programme ?

Jonah but une longue gorgée de café.

— Que renferme votre sac à main, à part votre passeport ?

— Carte de crédit, trousse de maquillage, nécessaire à ongles. Ce genre de choses…

— De l'argent liquide ?

— Pas beaucoup. Je n'ai pas l'habitude de payer en espèces.

— Evidemment…, songea Jonah.

— Dommage, car je n'en ai pas beaucoup sur moi non plus. J'imagine que votre compte est déjà sous surveillance et que, s'il y a transaction, Jock sera au courant avant que l'encre soit sèche. J'ai bien ma carte de crédit, mais elle ne nous sera pas longtemps d'un grand secours.

— Pourquoi ? Mon père ignore que nous sommes ensemble.

— Il s'en doutera vite. Il épluchera les allées et venues et quand il découvrira que je suis sorti à peu près à l'heure où vous avez disparu et qu'on ne m'a pas revu depuis, il tirera très vite les conclusions qui s'imposent… Il va falloir nous procurer pas mal d'argent.

— Pourquoi ?

— Parce que notre fugue va durer un petit moment. J'aimerais bien trouver une librairie ouverte.

Kathryn fronça les sourcils.

— Si vous envisagez un cambriolage, dit-elle d'un ton conciliant, ne vaudrait-il pas mieux choisir une banque ?

— Merci pour le conseil, Katie Mae ! répliqua-t-il sèchement. Je suis juste à la recherche d'informations parce que, pour le moment, j'ignore jusqu'où nous devrons aller et dans quelle direction.

— Pour quoi faire ?

Jonah poussa un soupir d'exaspération.

— Pour trouver un Etat…

Il reposa sa tasse avec un bruit sec et la dévisagea.

— … où nous pourrons nous marier sans trop de formalités.

Kathryn faillit s'étrangler avec sa gorgée de café.

— Parce que vous… vous…

— Je vous épouse, oui. A moins que vous ne reveniez sur notre marché ?

Elle demeura quelques instants silencieuse.

Normalement, elle aurait dû éprouver du soulagement, pas cette brusque vague de panique.

C'est la soudaineté de la nouvelle, se dit-elle. L'idée reste excellente. Je suis juste surprise qu'il ait changé d'avis, voilà tout… Et bien sûr, la perspective d'obtenir quinze pour cent des parts de Katie Mae's Kitchens peut amplement justifier son revirement.

— Non, répondit-elle aussi fermement qu'elle put. Je ne reviens pas sur notre marché.

— A partir de maintenant, nous sommes donc associés. Cinquante cinquante pour tout. D'accord ?

Il lui tendit la main.

— Topons là, dit-elle en frappant sa paume contre la sienne.

Elle frissonna, brusquement troublée par ce contact pourtant innocent.

— Mais au fait… j'ai tout ce qu'il faut sous la main ! marmonna-t-il soudain entre ses dents.

Sur ces mots, avant que Kathryn ait eu le temps de reprendre ses esprits, il se dirigea vers un ordinateur libre. Elle termina sa tasse ; le café était froid, mais ça n'avait pas d'importance.

Mariée. Elle entendait presque le grognement furieux de son père apprenant qu'elle envisageait sérieusement d'en épouser un autre quelques heures seulement après sa rupture avec Douglas.

Jonah était très différent, pensa-t-elle. Avec lui, pas de faux-fuyants ni de vaines promesses. Et avec ça, honnête, ouvert, gentil, cette dernière qualité étant peut-être la plus importante dans l'esprit de Kathryn. Peu d'hommes braveraient la fureur de Jock Campbell pour aider sa fille, même avec l'alléchante promesse d'une récompense. Jonah, lui, n'avait pas hésité.

Enfin… pas beaucoup.

Il revint, avec à la main une serviette en papier sur laquelle il avait noté des renseignements.

— Ce sera plus délicat que je ne l'imaginais. Les Etats où l'on peut obtenir facilement des licences sont éloignés du Minnesota.

— Eh bien, mettre la plus grande distance possible entre mon père et moi ne me paraît pas une mauvaise idée.

— Nous n'avons pas de quoi nous acheter de billets d'avion, objecta Jonah. Et si nous utilisons nos cartes de crédit, Jock connaîtra notre destination avant que nous l'ayons atteinte.

— Et il nous attendra à l'arrivée, convint Kathryn.

— Il faut donc que nous puissions gagner

cet endroit en voiture. Apparemment, les Etats voisins exigent des délais d'attente ou des résultats de tests sanguins. Or, plus longtemps nous resterons quelque part, plus Jock aura de chances de nous retrouver. Mais, en aucun cas, il ne peut vous interdire de vous marier, ajouta Jonah. Vous êtes majeure et pouvez épouser qui bon vous semble.

Kathryn grimaça.

— J'imagine sa fureur ! Non, franchement, je préférerais le mettre devant le fait accompli.

— Je m'en doutais. Dans ce cas, il faut viser le Nevada.

— Las Vegas ? s'exclama-t-elle d'un ton horrifié.

— Quel est le problème ?

Elle se mordilla la lèvre inférieure.

— Je sais que ça peut paraître idiot, mais c'est l'un des lieux favoris de Douglas. D'ailleurs, c'est une longue distance à couvrir en voiture. Est-ce qu'il ne vaudrait pas mieux…

— Rester là et jouer les autruches ? Vous ne trouverez pas un tribunal ouvert au Minnesota avant lundi. Et ensuite, il faudra respecter le délai de cinq jours. Comment être certains que Jock n'entendra pas parler de cette demande de licence de mariage formulée par sa fille ? D'autant que ce sera la seconde en quelques semaines.

— Vous marquez un point.

— Mieux vaut passer notre week-end à rouler. Et puis, nous ne sommes pas obligés d'aller jusqu'à Las Vegas ! N'importe quelle ville conviendra, une fois la frontière franchie.

Kathryn soupira.

— Je suppose que c'est la meilleure solution.

De retour dans la voiture, il lui tendit une carte routière.

— Trouvez-moi une route qui nous mène au Wisconsin.

Kathryn le dévisagea.

— Ecoutez, je ne suis peut-être pas très forte en géographie, mais je sais tout de même que le Wisconsin est situé à l'est alors que nous devons nous diriger vers le sud-ouest ! Pourquoi le Wisconsin ?

— Pour cambrioler cette banque dont vous parliez tout à l'heure.

Il attendit quelques instants puis éclata de rire devant son expression.

— Je plaisantais, Katie ! En nous dirigeant vers le Wisconsin, nous brouillerons les pistes.

Elle déplia la carte.

— Avouez ! lança-t-elle. Dans la vie réelle, vous êtes agent secret, non ?

— Quelle perspicacité ! Maintenant, mon chef va être obligé de nous supprimer tous les deux.

Elle reposa la carte sur ses genoux.

— L'aventure vous excite ! dit-elle sur un ton réprobateur. Ne le niez pas.

— C'est-à-dire… je suppose que oui. De toute façon, ce sera une belle histoire à raconter à nos enfants.

Comme Kathryn émettait un petit couinement, il lui jeta un regard de biais.

— Vous n'aviez pas pensé si loin ?

— Non.

— Eh bien, il vous reste vingt-quatre heures pour réfléchir à la question. Après, il sera trop tard pour changer d'avis.

Elle reporta son attention sur la carte, mais les noms de villes dansaient devant ses yeux.

« Nos enfants », se répétait-elle. Ils n'avaient jamais abordé le sujet, mais elle réalisait soudain qu'avoir des enfants avec Douglas lui apparaissait comme un acte presque clinique tandis qu'avec Jonah…

« Ce serait vraiment une partie de plaisir… »,
lui chuchota une petite voix intérieure mali-
cieuse.

Elle repoussa l'idée.

— Cela aurait été plus simple si nous avions
pris la bonne direction dès le départ, fit-elle
remarquer.

— D'accord : je n'ai pas vu en quittant Duluth
que nous ne nous dirigions pas vers les cités
jumelles, reconnut-il d'un air soucieux.

— Tant pis. Nous finirons tôt ou tard par tomber
sur un embranchement qui nous permettra de
rejoindre l'autoroute.

Le regard fixé sur le rétroviseur, Jonah ne
l'écoutait plus.

— Bon sang ! Je me demande comment Jock
a pu réagir aussi vite. Comme je ne suis pas en
excès de vitesse, tout porte à croire que…

Kathryn se retourna. Une voiture de police,
gyrophare allumé, était lancée à leur poursuite.
Puis la sirène se déclencha et, incrédule, elle
vit les policiers leur ordonner par des appels de
phares de se garer sur le bas-côté.

# 3.

Jonah fouilla son portefeuille afin d'en extraire son permis de conduire.

— Ne dites rien, Katie. Détournez la tête, mais pas trop pour ne pas éveiller les soupçons.

Elle le dévisagea d'un air candide.

— Et je suppose que je ne dois pas non plus crier à l'enlèvement ?

Un policier approchait, une torche à la main. Jonah baissa sa vitre.

— Bonsoir, monsieur. Les papiers du véhicule et votre permis de conduire, s'il vous plaît.

Il examina alternativement la photo puis le visage de Jonah.

— Merci. Je vous suis depuis un moment. Vous ignorez sans doute que vos feux arrière ne fonctionnent que par intermittence.

Ce n'était que ça ? Kathryn contint un soupir de soulagement.

— Effectivement, je ne m'en suis pas aperçu.

— Je suis malheureusement obligé de verbaliser.

Il sortit un carnet de sa poche et rédigea un procès-verbal qu'il tendit à Jonah.

— Si vous voulez bien signer… Vous savez certainement qu'il est interdit de rouler avec un équipement défectueux ?

Kathryn s'agita sur son siège.

— Nous allons donc devoir appeler un dépanneur, constata calmement Jonah.

— Ecoutez, ça peut prendre une heure, dit le policier. Comme vous n'êtes qu'à trois kilomètres d'un garage, je préfère vous laisser y aller ; ce sera moins dangereux que de stationner sur le bord de l'autoroute. Il faut parfois savoir interpréter la loi.

— Ça, c'est une chance, marmonna Kathryn.

— Vous trouverez un relais routier à la prochaine sortie. Je vais vous suivre par mesure de sécurité.

— Merci.

Jonah attendit que le policier réintègre son véhicule pour démarrer.

260

— Quelle escorte ! s'exclama Kathryn. Juste ce qu'il fallait pour passer inaperçus.

— Et nous devons obtenir un certificat de remise en état du garagiste pour reprendre la route. Autrement dit, nous voilà bloqués jusqu'à demain matin.

— Voici la sortie.

A une centaine de mètres de l'embranchement se dressait un ensemble de bâtiments éclairés par de puissants lampadaires.

— Le relais routier, dit-elle faiblement. Mais où est la ville ?

— A quelques kilomètres. Etant donné qu'ils accueillent les camions, les relais routiers sont rarement situés en pleine ville.

— Merci pour la leçon, monsieur Clarke… Mais dites-moi, je ne rêve pas : cette pancarte indique bien « Bout du monde de l'Ouest » ?

— Oui, c'est assez drôle. Remarquez, une station-service, un hôtel, un restaurant… Nous aurions pu tomber plus mal.

— Oh ! Regardez. C'est un Katie Mae !

— Calmez-vous. On trouve des Katie Mae's Kitchens dans toutes les villes de moyenne importance du pays. Tôt ou tard, nous serions forcément tombés dessus. Le garage est là.

Il se gara sur le parking et descendit sans couper le moteur. Le policier s'arrêta à sa hauteur, le salua et redémarra. Kathryn rejoignit Jonah qui examinait ses feux.

— Il a raison, il y a un court-circuit. J'aurais pourtant juré que cette voiture était en parfait état.

— C'est pour ça que vous bricoliez dessous cet après-midi ?

— Je vidangeais l'huile.

Kathryn ravala un commentaire acerbe.

— Et maintenant, que faisons-nous ?

— Mettons nos ressources en commun. Allons dîner et croisons les doigts pour avoir de quoi nous offrir une chambre. Ensuite seulement, nous réfléchirons au moyen de payer la réparation.

Jonah coupa le moteur.

— Enfin... je suppose que ça pourrait être pire ! ajouta-t-il avec philosophie.

— Certainement. A l'heure qu'il est, vous pourriez croupir au fond d'une cellule pendant que je chercherais désespérément un avocat capable de vous en faire sortir.

— J'aime cette façon de voir le bon côté des choses ! dit Jonah, approbateur. Et si vous ne trouviez pas d'avocat, vous n'auriez qu'à scier mes barreaux avec votre lime à ongles.

Ils disposaient de suffisamment d'argent pour régler leur modeste dîner, mais un coup de téléphone au motel leur révéla qu'ils n'avaient pas de quoi payer une chambre.

— Eh bien, nous dormirons dans la voiture, dit bravement Kathryn.

Jonah avala une gorgée de café.

— Avez-vous déjà essayé ? Je veux dire, pas seulement de sommeiller, mais d'y passer une nuit entière ?

— Non.

— Croyez-moi, vous serez bien assez tôt contrainte de le faire. Je vais réserver la chambre.

— Mais puisque nous n'avons pas de quoi...

— Nous n'avons pas non plus de quoi payer la réparation. Il nous faudra bien tirer de l'argent.

— Mais, la trace...

— J'aurais préféré attendre que nous ayons quitté le Minnesota, mais nous n'avons pas le choix. Et puisque je suis déjà repéré ici, nous utiliserons ma carte ce soir et garderons la vôtre pour le Wisconsin.

— Je pensais qu'avec ce contretemps, nous abandonnerions peut-être l'idée du Wisconsin.

Jonah secoua la tête.

— C'est devenu encore plus important de lancer Jock sur une fausse piste. Cependant, l'argent n'est pas le seul problème, il y a aussi cette amende.

— Ecoutez, il ne faut pas être parano. Ce policier n'a fait que son métier.

— Il existe une trace dans l'ordinateur, maintenant. Si votre père pense à demander une vérification de mon permis, une rapide enquête lui permettra de remonter jusqu'à nous.

— Et s'il n'avait pas fait le recoupement ?

— Ça ne changerait pas grand-chose au problème. Même si Jock ne soupçonne pas particulièrement que nous soyons ensemble, il voudra interroger tous ceux qui se trouvaient sur la propriété et demandera tout naturellement à la police de me localiser. Et ça se produira peut-être avant que la voiture soit réparée.

Kathryn grimaça.

— Je l'imagine atterrissant avec son hélicoptère sur le parking…

— Ne parlez pas de malheur ! Pour couronner le tout, les systèmes électriques recèlent plein

264

de pièges et le meilleur mécanicien du monde peut ne pas découvrir tout de suite l'origine du problème.

Il secoua la tête.

— Si la voiture n'est pas prête demain à midi, nous devrons l'abandonner.

Kathryn le considéra avec de grands yeux.

— Et comment nous déplacerons-nous ? En bus ? Mais non, suis-je bête ! Un taxi nous attend certainement ici.

— Ne soyez pas sarcastique, Katie Mae. L'idée du bus ne serait pas mauvaise s'ils ne mettaient pas un temps fou pour se rendre d'un point à un autre. Nous achèterons une autre voiture.

— Et avec quoi ? J'ignore à quelle somme vous donne droit votre carte de crédit, mais, en ce qui me concerne, je ne peux pas acheter de voiture avec la mienne.

— Il ne s'agit pas d'acheter une Porsche, mais un véhicule capable de rouler !

Il bâilla.

— Je ne sais pas pour vous, mais moi, je suis épuisé ! Gagnons notre chambre.

Notre chambre… Etant donné qu'ils avaient à peine de quoi en payer une, elle n'allait pas en réclamer une deuxième pour elle toute seule.

De plus, en agissant ainsi, elle passerait pour une oie blanche vis-à-vis de cet homme qu'elle comptait épouser le plus vite possible.

— Je suis également fatiguée, reconnut-elle avec un sourire crispé.

Ils grimpèrent l'escalier puis parcoururent le couloir du premier étage qui menait à leur chambre. Quand Jonah lui maintint la porte ouverte, elle marqua une seconde d'hésitation.

— Allons, entrez, Kathryn. Vous ne comptez tout de même pas que je vous fasse franchir le seuil dans mes bras avant notre mariage ?

Elle passa devant lui sans un regard et pénétra dans une minuscule pièce dans laquelle on avait casé, tant bien que mal, deux lits jumeaux séparés par une table de nuit.

— Quel lit préférez-vous ? demanda-t-elle.

— Ça m'est égal.

Jonah ferma la porte.

— Et rappelez-vous : vous avez vingt-quatre heures pour prendre une décision. Je respecterai ce délai. En attendant, pas question d'agir d'une manière qui nous engage.

Kathryn sentit soudain ses paupières la brûler. Le moment était mal choisi pour s'apitoyer sur son sort, pensa-t-elle avec irritation.

— Merci…, bredouilla-t-elle.

Puis elle fila vers la salle de bains avant qu'il ne suspecte son envie de hurler.

Elle repassa presque aussitôt la tête par l'entrebâillement de la porte.

— Il y a du shampooing, mais pas de brosses à dents ni de peignoirs ! lui annonça-t-elle.

— Toujours vos goûts de luxe !

— Depuis quand une brosse à dents représente-t-elle un luxe ?

— Des sels de bain, des serviettes de toilette en coton égyptien et un peignoir chatoyant en représentent un ! A quoi vous attendiez-vous ? Ce n'est pas le Ritz, ici !

— C'était une remarque en passant.

— Je vais acheter une brosse à dents pendant que vous prenez votre douche. Besoin d'autre chose ?

— Oui, étant donné que je n'ai rien emporté.

— Préparez une liste. Nous nous en occuperons demain.


Dans l'eau bien chaude du bain, Kathryn laissa couler ses larmes. Ensuite, elle s'efforça d'en faire disparaître les traces et s'enveloppa dans une serviette.

Pour la première fois depuis sa fuite, elle commençait à réaliser ce que signifiait partir sans bagages. Elle ne possédait en tout et pour tout qu'un jean, une chemise et des sous-vêtements de dentelle parfaits sous une robe de mariée mais pas très pratiques pour une femme en cavale. Enfin, du moins séchaient-ils vite…

Elle entendit la porte s'ouvrir et, un moment plus tard, la voix de Jonah s'éleva derrière la cloison.

— J'espère que vous n'avez pas utilisé toute l'eau chaude ! Je vous ai acheté un T-shirt. Voulez-vous le voir ?

— Vous savez, dit-elle dans un brusque élan de gratitude, je crois que je vous aime.

— Comment ?

Son visage s'enflamma.

— J'ai dit, merci, Jonah. C'est très gentil d'avoir eu cette attention.

Elle entrouvrit la porte et glissa une main par l'ouverture.

Le T-shirt était très grand et d'un rouge éclatant. Quand elle sortit de la salle de bains, Jonah, étendu sur un des lits, leva les yeux de la carte routière qu'il consultait.

— J'étais sûr qu'il vous irait à ravir.

— Il est vraiment très confortable. Encore merci, Jonah !

Elle s'assit près de lui pour regarder la carte.

— Que préparez-vous ?

— Nous devons atteindre Eau Claire avant d'utiliser votre carte de crédit.

— Très bien, mais pourquoi ?

— Parce que c'est entre notre point de départ et notre prétendue destination.

— Qui est… ?

— Milwaukee ou Chicago. Il me semble prudent de donner à hésiter à Jock entre les deux. Nous tirerons de l'argent sur votre compte à Eau Claire et de nouveau à Madison. Ensuite, nous nous dirigerons vers le sud-ouest pendant que, avec un peu de chance, Jock nous cherchera à l'est.

Kathryn étudia la carte, additionnant mentalement les kilomètres.

— Si nous attendons que la voiture soit prête, nous ne serons pas à Eau Claire avant la fin de l'après-midi.

— Exact.

— Est-ce que ça ne paraîtra pas bien trop long pour parcourir moins de deux cents kilomètres ?

— Dès que votre père se rendra compte que vous n'êtes pas seule, il ne se posera plus de questions…

— Ah bon ?

— Il devinera que si nous traînons autant, c'est parce que nous nous arrêtons fréquemment pour que je vous viole !

Kathryn se força au calme.

— Dans ce cas, pas étonnant que je sois si fatiguée…

Quand il la regarda en souriant, elle sentit son cœur chavirer.


Jonah attendait devant le garage quand le mécanicien se présenta. L'homme l'écouta avec sympathie, accepta de s'occuper de son cas et lui demanda de revenir deux heures plus tard, comme s'il était un petit garçon qu'il vaut mieux congédier pour pouvoir vaquer aux choses sérieuses.

Il s'arrêta à la station-service pour acheter un journal dominical et hésita quelques instants pour décider s'il regagnerait la chambre ou irait au restaurant.

Le restaurant était un choix beaucoup plus sûr, sans aucun doute. Kathryn dormait encore lorsqu'il avait quitté la chambre une demi-heure plus tôt, étendue sous un drap tellement usagé qu'il en était devenu presque transparent, une main tendue dans un geste d'invite. Et cette vision, il n'était pas près de l'oublier.

En réalité, s'il la trouvait encore au lit à son retour, il lui faudrait résister au désir de la rejoindre et d'envoyer au diable ses bonnes résolutions. S'il avait pu imaginer à quoi ressemblerait Katie Mae juste vêtue d'un T-shirt, avec ses cheveux bruns répandus sur l'oreiller, il aurait réfléchi à deux fois avant de lui promettre de ne pas la toucher.

Et même si elle était habillée, il reverrait les sous-vêtements qui séchaient sur le porte-serviette pendant qu'il se rasait ; en la regardant, il penserait inévitablement à ces dessous de dentelle si suggestifs…

Oui, le restaurant était décidément un choix beaucoup plus sûr.

Ce qui ne l'empêcha pas de se diriger vers la chambre.

En chemin, il s'arrêta près de la cabine téléphonique et chercha de la monnaie dans sa poche. Il ne pouvait différer plus longtemps cet appel...

Il avait laissé son rasoir bien propre sur le lavabo. Quel que soit l'individu, tour à tour gentil, attentionné, parfois cynique et méfiant, ce n'était pas un grossier personnage.

Kathryn rangea le rasoir avec leurs autres possessions — cartes routières, tube de dentifrice, T-shirt — dans le sachet de plastique rouge qui avait contenu ce dernier. Jamais elle n'avait bouclé aussi vite ses bagages. Comparé au casse-tête qu'avait représenté le départ pour les Bermudes, ce voyage ressemblait à une vraie lune de miel.

En se rendant compte que c'était exactement ce dont il s'agissait, elle tressaillit. Bien que décalé puisqu'il venait avant la cérémonie, ce voyage n'en restait pas moins un voyage de noces.

Cette idée lui trotta dans la tête pendant qu'elle gagnait le rez-de-chaussée, et elle se demanda si Jonah rirait ou bien prendrait l'air effaré si elle lui en faisait part...

En bas des marches, elle regarda autour d'elle, hésitant entre se rendre d'abord au garage ou au restaurant.

Elle ne s'attendait pas à découvrir Jonah aussi vite et, tout d'abord, son cerveau refusa de croire à ce qu'elle voyait. En fait, il se trouvait au dernier endroit où elle aurait pensé le voir, c'est-à-dire dans une cabine téléphonique. Adossé à la paroi, lui tournant le dos, il parlait, le combiné coincé entre l'épaule et la joue.

Stupéfaite, Kathryn se dirigea vers lui. Comme s'il avait senti venir le danger, il raccrocha et lui fit face alors qu'elle ne se trouvait qu'à quelques pas de lui.

— Allons déjeuner, proposa-t-il avec une parfaite décontraction, et ensuite nous irons nous procurer le nécessaire en attendant que la voiture soit prête.

Etait-il vraiment aussi à l'aise qu'il y paraissait ? Son expression avait changé sans que Kathryn puisse déterminer si elle exprimait du regret ou de l'inquiétude à l'idée qu'elle ait pu surprendre des bribes de sa conversation.

— J'exige de savoir avec qui vous parliez, dit-elle fermement.

— Avec une relation.

— Oh ! vraiment ? La femme avec qui vous aviez rendez-vous hier soir, peut-être ?

— Attention, Katie. On pourrait croire que vous me faites une scène de jalousie !

Une envie folle de lui donner un coup de pied traversa l'esprit de Kathryn. Comment osait-il l'accuser d'être jalouse ? Ce n'était pas elle qui passait des appels téléphoniques dans le dos de son complice ! Il avait du culot d'agir ainsi après avoir proposé de tout partager !

— Pour tout dire, elle s'appelle Brian. Nous travaillons dans la même firme et je lui ai laissé un message pour le prévenir que je serai absent demain.

— Je n'avais pas pensé à ça, murmura Kathryn, légèrement honteuse. Vous travaillez, bien sûr…

— Que voulez-vous ? Tout le monde ne peut pas se permettre de ne faire que ce que bon lui semble.

— Je travaille aussi ! répliqua-t-elle avec vivacité. Pour me libérer cette semaine, j'ai dû m'organiser !

— Si j'avais su que vous comptiez m'emmener, je me serais également arrangé.

— Désolée, Jonah, dit-elle d'un air confus.

Il lui caressa doucement la joue.

— Ce n'est rien, Katie Mae.

— Ne m'appelez pas comme ça ! protesta-t-elle machinalement. Pas quand nous nous tenons devant un de ces restaurants. Comment allez-vous vous débrouiller pour le reste de la semaine ?

— J'improviserai au jour le jour. Ne vous inquiétez pas, je doute que la ligne de Brian conserve la trace de mes appels.

— Jonah… et si vous perdiez votre emploi à cause de moi ?

— Vous seriez obligée de tenir votre promesse de me donner quinze pour cent des parts de Katie Mae…

La voix de Jonah s'adoucit.

— Vous vous figuriez que j'appelais Jock, c'est ça ?

Elle hocha la tête.

— Pourquoi agirais-je ainsi, Katie ?

— Je ne sais pas… Vous pourriez en avoir assez d'être embarqué dans cette aventure avec moi et ne pas oser me le dire…

— Alors je préviens votre père, il accourt, se déchaîne et je fais encore figure de héros ? Je garderai ce scénario à l'esprit pour le cas où j'en aurais assez de vous. En attendant… venez.

Elle n'avait aucune intention d'obéir, mais dut tout de même avancer sans s'en rendre compte puisqu'elle se retrouva soudain avec le bras de Jonah passé autour de ses épaules. Il l'attira à lui.

Son corps s'adaptait parfaitement au sien et, comme si c'était la chose la plus naturelle du monde, elle leva la tête et lui tendit ses lèvres. Celles de Jonah étaient fermes et chaudes. D'abord simplement tendres, puis prenant de l'assurance, elles éveillèrent ses sens au point que, bientôt, l'univers ne fut plus qu'un vaste carrousel.

Quand Jonah la relâcha, elle était à bout de souffle. Incapable de proférer une parole, elle glissa une main derrière sa nuque pour le ramener à lui.

— Allons plutôt prendre notre petit déjeuner, dit Jonah, sinon cette histoire de viol va devenir effective.

Un chœur de sifflements et d'acclamations provenant d'un groupe de routiers rassemblés près des pompes à essence et qui les observaient ramena Kathryn au sens des réalités. Cachant sa rougeur contre l'épaule de Jonah, elle se laissa guider vers le restaurant.

La veille, elle se sentait trop lasse pour s'intéresser à l'environnement autrement qu'en évitant de trop s'approcher des photos de la fillette brune qui ornaient tous les Katie Mae's Kitchens. Même s'il paraissait peu probable que quelqu'un note la ressemblance, elle préférait se montrer prudente.

Ce matin, toutefois, l'instinct professionnel reprit le dessus et, comme la serveuse les guidait vers une table, Kathryn examina le décor dans les moindres détails. Serviettes, vaisselle, décorations de table, tout fut passé au crible de son regard acéré, et elle fronça les sourcils en remarquant une trace — ombre ou poussière ? — sur le barreau d'un tabouret.

— Voyons…, dit Jonah comme la serveuse s'éloignait. Si je comprends bien, c'est vous qui définissez les standards de la chaîne.

— Est-ce si évident ?

— Seulement pour quelqu'un qui connaît votre secret. Aux yeux de toute autre personne, vous sembleriez seulement observatrice et exigeante.

— Observatrice et exigeante, c'est une bonne synthèse des qualités qu'exige mon métier.

— Si vous inspectez régulièrement tous les établissements, je ne m'étonne plus que vous vous soyez montrée aussi nerveuse à l'idée d'entrer ici.

— Non, je ne les visite pas fréquemment. Vous savez, je ne suis qu'un rouage de la machine.

Kathryn referma le menu et le reposa à l'envers afin de dissimuler la photo.

— Je prendrai du café et un muffin. Puis-je jeter un coup d'œil au journal ?

Il le lui passa.

— Ne soyez pas surprise si vous vous retrouvez nez à nez avec votre image…

— Je n'avais pas envisagé cette possibilité.

— Une future mariée qui disparaît dans les instants qui précèdent son mariage, ce n'est pas banal !

Kathryn feuilleta précautionneusement le quotidien. Parvenue en dernière page, elle poussa un soupir de soulagement.

— Rien.

— La presse n'a sans doute pas eu le temps de s'emparer de l'événement…

Il l'examina quelques instants.

— Vous devriez vous couper les cheveux. Ce serait un crime, j'en conviens, mais aussi une bonne mesure de précaution.

— Ouf ! Je croyais que vous faisiez allusion à mon apparence. A propos, il faudrait que nous nous procurions des vêtements.

— Quand nous serons un peu plus loin, nous chercherons des boutiques d'occasion.

— J'imagine la tête de mon père en apprenant que je m'habille dans ce genre d'endroit ! En attendant, une de mes collègues porte un tailleur de chez Armani qu'elle a acheté pour moins de la moitié de sa valeur.

— Katie, dit doucement Jonah, ce n'est pas de ce genre d'occasion que je parle.

— Oh ! mais je suis sûre que nous trouverons des vêtements très bien ! J'ai aussi besoin de lotion pour les mains et de dissolvant pour vernis à ongles. Le croiriez-vous, je sors pratiquement de chez la manucure et je me suis déjà écaillé un ongle…

Il examina la note.

— Pas étonnant que votre père soit multi-milliardaire. Au prix où sont les muffins, ils doivent être fourrés de pépites d'or ! Allons voir si nous trouvons une glacière à la boutique.

Ainsi, nous pourrons acheter du fromage et de la charcuterie.

— Vous comptez pique-niquer à travers le pays ?

— Cela nous fera gagner du temps et de l'argent. Il nous faudra aussi un rouleau de ruban adhésif.

— Pour quoi faire ?

— Je n'en sais rien, mais on peut fixer des trucs incroyables avec ça. Un jour...

Il s'interrompit pour regarder par la fenêtre et parut réfléchir.

— Que regardez-vous ?

— Je crois avoir trouvé ce qu'il nous faut.

— Ah bon ? A voir votre tête, j'ai cru que mon père débarquait avec la cavalerie !

— Vraiment, c'est la perle rare ! Trouver ici un véhicule dans nos prix relève de l'exploit.

Kathryn étudia la rangée de voitures garée à l'extérieur. D'une main sur son menton, Jonah guida son regard vers l'extrémité du parking.

— Le pick-up avec la pancarte « A vendre » fixée sur le pare-brise.

— Oh non ! s'exclama Kathryn, horrifiée. Je n'irai pas au Nevada dans ce truc. Je n'irai nulle part, là-dedans !

— Vous avez exactement la réaction que j'escomptais. Cent personnes lui affirmeraient-elles le contraire, jamais Jock ne croirait que sa fille chérie puisse voyager à bord d'un tel engin !

Kathryn examina de nouveau le pick-up à la peinture bleue toute délavée, aux pare-chocs enfoncés et dont le rétroviseur intérieur s'ornait d'une paire de dés rose fluorescent. Sans aucun doute, cette épave était dans leurs moyens. Et si le vendeur avait le moindre bon sens, il les paierait même pour l'en débarrasser...

Elle soupira.

— Il faudra penser à acheter de l'aspirine et des médicaments contre les aigreurs d'estomac. Personnellement, je préfère le grand modèle ; c'est plus économique.

# 4.

En dépit de la « senteur pin » qu'étaient censés diffuser les dés, l'habitacle sentait le renfermé. La poignée de la portière du passager manquait et, pour sortir, il fallait baisser la vitre pour actionner la serrure de l'extérieur. Jonah se réjouissait juste que Kathryn n'ait pas encore remarqué les autocollants. Elle n'était certainement pas d'humeur à répandre par tout le pays des slogans tels que « Si vous aimez les Harlem, klaxonnez ! » ou « Chasseurs d'opossums, montrez-vous au grand jour ! »

Et bien sûr, le réservoir d'essence était pratiquement vide.

— C'est une règle, fit remarquer Jonah. Quand on achète une voiture d'occasion, il n'y a jamais d'essence dans le réservoir. Mais vous ignorez ça, bien sûr.

— Vous appelez ça une occasion ? Estimons-nous heureux que cette chose possède encore un volant !

Elle donna un coup de pied plein de rancœur à la glacière. Jonah ayant mal calculé les dimensions de l'habitable, celle-ci occupait presque tout l'espace disponible devant le siège du passager.

Jonah examina la jauge du réservoir puis Kathryn qui essayait de trouver une position à peu près confortable.

— Au moins, mes achats tiennent sous le siège, grommela-t-elle en posant finalement les pieds sur le tableau de bord.

— Cette horreur ne devrait même pas exister !

— Vous n'avez pas intérêt à le jeter !

— Je le mettrai dans la benne arrière en espérant que quelqu'un sera assez fou pour le voler ! Bien emballé, on ne voit pas la monstruosité.

— Vous êtes furieux parce que j'ai dépensé votre argent pour ça.

— C'est votre argent. Je suis furieux parce que nous sommes censés compter sou à sou et non acheter des saletés de babioles en plastique !

— Ce n'est pas une saleté ! protesta-t-elle avec énergie. Et elle n'est pas en plastique !

— Excusez-moi, mais j'ai du mal à qualifier cette reproduction de quarante centimètres de long du relais routier du « Bout du monde de l'Ouest » d'œuvre d'art !

— Je n'irai pas jusque-là. C'est juste un souvenir de cet endroit où je ne remettrai peut-être jamais les pieds.

— Ah bon ? Et comment récupérerai-je ma voiture ?

— A ce propos, pourquoi avez-vous donné votre carte de crédit au mécanicien ?

— Parce qu'il veut noter le numéro pour se payer dès qu'il aura terminé la réparation.

— Mais d'ici là, votre carte risque d'être repérée…

— C'est justement l'astuce ! Quand la transaction se fera, j'aurai l'air de me trouver encore ici. Et pendant ce temps, vous jalonnerez votre passage au Wisconsin d'indices. Si Jock pense que nous sommes ensemble, ça va jeter la confusion dans son esprit.

— En tout cas, ça la jette dans le mien, maugréa Kathryn.

Comme le mécanicien revenait, Jonah alla à sa rencontre. L'homme lui tendit sa carte sans quitter Kathryn des yeux.

— Mon vieux, dit-il, si j'étais en rade au Bout du monde avec une fille comme ça, faire réparer mes feux arrière serait le dernier de mes soucis ! Vous aviez un prétexte en or pour rester en plein milieu de nulle part avec une fille superbe et vous n'en avez pas profité… Il faudrait voir un psy !

— Nous fuyons son père, expliqua Jonah sur le ton de la confidence.

Le mécanicien hocha la tête d'un air entendu.

— Vous organisez un mariage éclair, c'est ça ? Bon, soyez tranquille, si quelqu'un vient fouiner par ici, je ne vous ai pas vus.

— Merci. Et occupez-vous bien de ma voiture. Je reviens dès que possible.

— Sûr, j'y veillerai personnellement. Dès qu'elle est réparée, je la gare derrière, où personne ne la verra.

Sur ces mots, le mécanicien regagna son garage en sifflotant.

Jonah régla la note d'essence et se glissa derrière le volant.

— Parés pour la grande aventure, Katie !

— Parlez pour vous ! répliqua-t-elle d'un ton acerbe. Même en m'entraînant toute une année,

286

je ne serai jamais prête à rouler là-dedans ! De quoi parliez-vous avec le mécanicien ?

— De vous. Il me trouvait idiot de chercher à quitter le Bout du monde alors que je pouvais rester caché au fond d'une chambre d'hôtel avec vous.

Kathryn émit un claquement de langue désobligeant.

— Vous êtes sûr qu'il ne trouvait pas plutôt idiot d'avoir acheté cette épave ?

— Bien sûr que non ! Le moteur est en bon état ; il fera l'aller et retour du Nevada sans problème, vous verrez.

— Il n'aura pas à nous ramener. Une fois que nous serons mariés, peu importe que papa nous retrouve, n'est-ce pas ? Alors je pourrai utiliser ma carte de crédit pour m'offrir un billet de première classe sur le premier vol. Libre à vous de choisir votre moyen de locomotion.

— Attendez un peu, Katie ! Vous pourriez vous attacher à ce véhicule bien plus que vous ne croyez.

Kathryn le regarda en secouant la tête, mais n'émit aucun commentaire. Avec un soupir résigné, elle attacha sa ceinture.

\*\*\*

Le ciel s'assombrit tandis qu'ils contournaient les cités jumelles de Minneapolis et Saint Paul, et le moteur était si bruyant que Kathryn mit un certain temps à s'apercevoir que le tonnerre grondait. Quand ils atteignirent la frontière du Wisconsin, la pluie tombait en rafales si violentes qu'ils distinguaient à peine les phares des véhicules venant en sens inverse. Les essuie-glaces avaient bien du mal à remplir leur office et, dans un virage, s'insinuant par un interstice de sa portière, des gouttes de pluie vinrent gifler le visage et le cou de Kathryn.

En l'entendant crier, Jonah freina brusquement.

— Qu'est-ce que…

— Je suis trempée !

— C'est tout ? J'ai cru à une catastrophe. C'est le joint de la portière qui est usé.

— Comme c'est étonnant ! Pourquoi n'ai-je pas pensé à acheter du Sopalin ?

— Parce que vous étiez bien trop occupée à vous procurer votre merveille picturale !

— Laissez mon souvenir en dehors de ça ! Vous n'avez pas pensé non plus à en acheter. Ne pourrait-on utiliser le ruban adhésif pour boucher le trou de la portière ?

— Ça ne collera pas sur le métal humide.

Kathryn s'essuya le visage avec un mouchoir en papier qui se désintégra en un temps record.

— Ce n'est pas seulement mouillé, c'est froid !

— La pluie est rarement chaude. Vous seriez plus à l'aise si vous pouviez étendre vos jambes.

— Plus à l'aise qu'où ? demanda Kathryn d'un air sombre. Si je pouvais choisir entre ce pick-up et le fauteuil à bascule de ma chambre…

— Nous ne sommes plus très loin d'Eau Claire. Vous n'aurez qu'à appeler Jock pour qu'il vous envoie une équipe de secours.

— Vous savez bien que ce n'est pas ce que je veux dire.

— Ah bon ? J'ai cru que vous aviez changé d'avis.

— Pour quelle raison, grand Dieu ! Tout va parfaitement bien. A l'allure où nous allons, nous serons au Nevada pour Noël.

Pour échapper à la pluie, Kathryn se glissa vers le milieu du siège tout en essayant de détendre sa ceinture. L'attache se trouvait près de la cuisse de Jonah et la jeune femme se rendit soudain compte qu'elle n'avait plus froid du tout. Elle était si proche de lui qu'il devait percevoir les battements redoublés de son cœur.

— Ce n'est pas une mauvaise idée de voyager lentement, dit Jonah. Jock ne se doute sûrement pas que vous êtes encore si près de la maison.

Il se tourna vers elle et ajouta doucement :

— Etes-vous sûre de ne pas avoir de regrets, Katie Mae ?

— Pourquoi ? Vous en avez ?

— Non. Quand j'ai pris une décision, je n'y reviens plus. Mais je pensais que vous vous languissiez peut-être de monsieur-je-ne-sais-plus-qui.

— De Douglas ? Certainement pas !

— Il n'y aurait pas de quoi avoir honte, vous savez. Après tout, vous deviez l'épouser. Et le fait d'avoir découvert sa vilenie ne gomme pas forcément les sentiments.

Toute surprise de ne pas encore y avoir songé, Kathryn sonda son cœur à la recherche d'un regret. Elle n'en put trouver aucun. Si elle éprouvait du remords pour avoir mis son père dans une situation délicate face à ses invités, en ce qui concernait Douglas, seules la colère et l'indignation l'agitaient.

Elle était affreusement superficielle, pensa-t-elle. Pas meilleure, en tout cas, que Douglas. Mieux valait finalement conclure un mariage de raison, car ce n'aurait pas été juste d'épouser un homme qui tiendrait à elle — si tant est qu'un tel homme existât — alors qu'elle était incapable d'éprouver des sentiments. Quelle chance d'avoir rencontré Jonah !

— Je suis juste un peu anxieuse. Ne faites pas attention.

— Comment faire autrement, Katie ?

Etonnée par la gravité de sa voix, elle se tourna vers lui. En raison de l'orage, il régnait en ce milieu d'après-midi une lumière crépusculaire. Comme Jonah gardait le regard fixé sur la route, Kathryn ne put déchiffrer son expression.

Après un silence, il ajouta doucement :

— Je crois que je suis moi aussi anxieux. J'ignorerai votre angoisse si vous ignorez la mienne.

— Marché conclu !

Il lui prit la main qu'il posa sur sa cuisse et recouvrit de la sienne. Sa chaleur se communiqua aux doigts de Kathryn puis à tout son corps. Lorsque, après quelques minutes, il reposa sa main sur le volant, elle eut la sensation de partir à la dérive. Il lui fallut un petit moment pour réaliser que sa main reposait toujours sur la cuisse de Jonah, dans une position peut-être pas précisément intime, mais en tout cas plus familière qu'elle n'en avait jamais connue avec Douglas.

Vivement, elle changea de position et se pencha pour manipuler les boutons de l'autoradio.

— Vous cherchez les prévisions météo ?

— Nous aurons l'air malins si nous nous retrouvons à moitié noyés au milieu de nulle part !

— Impossible ! Nous arrivons à Eau Claire.

— Je vais voir si j'aperçois une banque.

— Avant de m'arrêter, je vais rouler un peu en ville pour ne pas donner l'impression d'être seulement de passage.

Elle se redressa et le considéra avec curiosité.

— Ne cessez-vous jamais de concocter des intrigues, Jonah ?

— A vrai dire, je ne dispose pas souvent de telles occasions !

— Combien de temps comptez-vous tourner en ville ?

— Vous avez hâte que ça se termine, n'est-ce pas ?

Elle hocha la tête.

— Je me sentirai mieux quand j'aurai un peu d'argent en poche. Vous aviez raison, je n'aurais pas dû dépenser notre liquide pour ce stupide souvenir.

— Tout va bien, Katie…

Elle rêva de s'appuyer contre son épaule afin d'y chercher un peu de réconfort. Avec un sourire, il ajouta :

— Si nous tombons à court d'argent, vous frotterez les parquets jusqu'à ce que vous ayez remboursé votre dette.

Kathryn poussa un soupir de soulagement en constatant que le distributeur de billets ne faisait aucune difficulté pour accepter sa carte de crédit. Alors qu'ils se dirigeaient vers la sortie de la ville, ils passèrent devant un dépôt de l'Armée du salut.

Une demi-heure plus tard, ils entassaient deux sacs de vêtements derrière le siège.

— Ce n'est pas exactement le style Armani, dit Kathryn, mais j'aime bien mon nouveau sweater et votre pantalon de toile.

Elle prit place sur le siège passager.

— Et maintenant, direction Madison ?

Jonah tapota le volant.

— Je me demandais, puisque le retrait a si bien marché, si nous ne devrions pas tenter le gros coup.

— C'est-à-dire ?

— Nous rendre dans une banque. Vous pourriez y retirer bien plus qu'au distributeur.

— Les banques ne sont pas ouvertes le dimanche soir !

— Nous pourrions passer la nuit dans un motel à mi-chemin d'ici et de Madison et nous présenter demain matin, à la première heure, dans une banque. Pour tout dire, je n'ai pas vraiment envie de conduire de nuit sous cette pluie.

— Si nous nous retrouvons avec une grosse somme d'argent, dit rêveusement Kathryn, nous chercherons un hôtel confortable.

Jonah secoua la tête.

— Dans un hôtel de luxe, on ne vous laissera pas entrer si vous ne présentez pas votre carte de crédit. Et ils vérifieront tout de suite si elle est valable.

— Papa n'a pas fait opposition sur ma carte.

— En effet, sinon vous n'auriez pas pu l'utiliser. Il s'est probablement juste arrangé pour que la banque le prévienne immédiatement en cas d'utilisation. Ainsi, s'il apprend que vous avez pris une chambre dans un bon hôtel de Madison, il disposera de quelques heures pour venir nous cueillir. Non, il vaut mieux nous contenter d'un banal motel.

Kathryn soupira.

— Pourquoi faut-il que vous ayez toujours raison ?

Elle déploya la carte sur ses genoux et l'étudia à la lueur de la lampe de l'habitacle.

— Nous ne sommes pas arrivés, fidèle chauffeur…

— A propos, je parie que vous êtes une conductrice émérite.

— Si c'est une façon détournée de me demander de prendre le volant, c'est non.

— Vous n'auriez pas à vous contorsionner pour trouver une position confortable.

— Mais vous si, et je n'aurais pas fini d'entendre parler de cette maudite glacière ! Non, décidément, je décline l'honneur.

— Je vous rappelle que nous étions d'accord pour tout partager, Katie.

— Vous savez quoi ? répliqua-t-elle vivement.

Je renonce à ma part du pick-up si vous ne m'obligez pas à conduire.

— Si nous ne nous relayons pas, le voyage durera encore plus longtemps.

— Nous y serons donc pour la Saint-Valentin au lieu de Noël ? Tant pis ! D'ailleurs, ce doit être plus agréable de passer le mois de février dans le désert plutôt qu'au Minnesota.

— Vous voudriez me faire croire que vous ne vous réfugiez pas chaque hiver en Arizona ou aux Caraïbes ?

— Je pars une ou deux semaines, c'est tout. On voit que vous ne travaillez pas pour mon père, sinon vous ne poseriez pas la question.

Elle bâilla.

— Enfin, tant que je serai au bureau à la date prévue…

Ils roulèrent pendant environ une heure. La pluie incessante rendant la conduite de plus en plus pénible, Jonah décida de s'arrêter au prochain motel. Cependant, lorsqu'il ressortit du bureau, un pli barrait son front.

— C'est complet, à cause du mauvais temps, annonça-t-il. Et pour couronner le tout, une foire aux antiquités qui se tient à Madison draine vendeurs et acheteurs de tous les horizons. L'employée a appelé un motel situé à quelques kilomètres d'ici et ils nous réservent une chambre. Mais comme c'est apparemment la seule à cinquante kilomètres à la ronde, ce n'est pas forcément bon signe !

— Il faut que ce soit *une* réceptionniste, maugréa Kathryn, pour se donner autant de mal pour vous.

— Je ne lui ai pas causé de tort...

— Pour obtenir ce que vous vouliez, je sais, je sais. Vous avez probablement raison. Elle rêvera juste de votre sourire durant les trois prochaines semaines.

Ils faillirent rater le motel qui se dressait légèrement à l'écart de l'autoroute. Kathryn comprit l'inquiétude de Jonah en arrivant dans la chambre. Non seulement elle était encore plus exiguë que celle du Bout du monde, mais les rideaux pendaient de guingois, des brûlures de cigarettes constellaient la table de nuit et elle ne comportait qu'un lit.

— Puisque c'est la seule disponible, estimons-nous heureux, décréta bravement Kathryn.

— Je dormirai par terre.

Elle jeta un coup d'œil au tapis miteux et grimaça.

— Ne soyez pas ridicule, nous partagerons le lit.

— Katie...

— Le chauffeur a besoin de repos...

Elle le regarda droit dans les yeux.

— Et quand je dis repos, c'est repos.

— Les vingt-quatre heures que je vous avais accordées sont écoulées, lui rappela Jonah.

— Et nous sommes encore plus éloignés du Nevada qu'au moment où vous m'avez fait cette promesse...

— Si ça signifie que vous voulez attendre jusqu'au mariage...

— Ça signifie exactement ça.

Comme il bâillait, elle ajouta sèchement :

— C'est préférable, de toute façon.

— Ça prouve juste que vous ne connaissez rien aux hommes. Enfin, puisque vous avez apparemment pris votre décision, que diriez-vous d'une pizza ?

— C'est vous le comptable. Pouvons-nous nous le permettre ?

— Il faut bien nous nourrir et puis nous aurons

de l'argent demain, après notre petite incursion à la banque.

— Ne parlez pas si fort ; on dirait que vous méditez un cambriolage. Et si j'en crois l'épaisseur des murs, on nous entend à trois chambres d'ici !

Jonah sourit.

— Je vois ! Ce n'est pas la volonté d'attendre le mariage qui vous retient, mais la crainte d'être entendue. Eh bien, je préfère ça.

Il prit le téléphone.

— Comment aimez-vous votre pizza ? Avec des champignons, du chorizo, des poivrons ?

— Ça m'est égal du moment qu'il n'y a pas d'anchois.

Il plissa les paupières.

— Je parie que Douglas raffolait des anchois.

— Même quand on les ôte, le goût imprègne la pâte, expliqua-t-elle avec une grimace de dégoût.

— Et vous envisagiez quand même de l'épouser ? Oh ! Katie, Katie…

— Je ne prends pas de décisions engageant ma vie entière en fonction d'une histoire de pizza, riposta-t-elle, légèrement contrariée.

Pendant qu'il téléphonait, elle déballa les affaires de toilette récemment achetées. Ça faisait drôle de placer deux brosses à dents côte à côte dans le verre, mais puisqu'il en serait désormais ainsi, autant s'habituer tout de suite, se dit-elle. Enfin… si elle l'épousait vraiment.

Un peu plus tôt, Jonah se demandait si elle n'avait pas changé d'avis. Elle lui avait assuré que non, mais il lui restait encore du temps pour réfléchir. Depuis que son monde s'était écroulé en découvrant la vérité sur Douglas, elle hésitait quant aux décisions à prendre.

Celle de s'enfuir était bonne, elle ne reviendrait pas dessus. Sa brève conversation de la veille avec son père l'avait confortée dans cette idée. Elle fronça les sourcils.

— Jonah ?

— Oui ?

Il éteignit la télé pendant qu'elle s'appuyait au chambranle de la porte.

— Si vous étiez fiancé…

— Mais je suis fiancé, Katie. A vous ! L'auriez-vous oublié ?

— Ecoutez-moi sérieusement. Si votre fiancée vous quittait au pied de l'autel, souhaiteriez-vous toujours l'épouser ?

300

— Hum, je flaire le piège. Eh bien, j'aimerais d'abord connaître les raisons de sa conduite.

— C'est exactement ce que je pensais ! Vous réclameriez une explication et n'auriez de cesse de l'obtenir.

— Oui, naturellement…, répondit prudemment Jonah. Maintenant si vous m'expliquiez ?

— Hier soir, papa m'a appris que Douglas n'avait pas renoncé à m'épouser.

— Pourquoi cela vous surprend-il ?

— Cela ne me surprend pas, mais confirme juste l'exactitude des propos tenus par l'ami de Douglas.

— Une minute ! Quel ami ?

— Celui que j'ai entendu évoquer ses dettes de jeu quand j'étais sur le balcon. Si Douglas ne nageait pas dans les ennuis financiers, il aurait exigé une explication. Mais il ne m'a rien demandé, ce qui signifie qu'il connaît déjà mes motivations. Il s'est contenté de dire que nous avions tous les deux commis des erreurs. Il reconnaît donc implicitement…

— Attendez un instant, Katie. Vous vous êtes enfuie à cause d'une conversation surprise sur un balcon ?

— Oui. Mais puisque j'avais raison, quelle différence cela fait-il ?

Jonah secoua la tête.

— J'admets que Douglas ne représente pas forcément le *nec plus ultra* des partis, mais…

Kathryn n'écoutait plus. A présent, elle se sentait rassurée. Sa fuite avait été une décision infiniment plus judicieuse que celle d'épouser Douglas. Au fond, peut-être était-elle la femme des décisions instinctives plutôt que raisonnées…

Un coup frappé à la porte la fit sursauter. Jonah ouvrit au livreur de pizza et revint bientôt avec un carton qu'il posa sur le lit où ils s'installèrent face à face.

— Vous devriez appeler votre père.

— Pour m'entendre expliquer que je dois rentrer à bride abattue à la maison parce que le pauvre Douglas a le cœur brisé ? Merci bien ! Pourquoi ne mangez-vous pas ? C'est délicieux.

Avec un haussement d'épaules, Jonah prit une part.

— Tirons à pile ou face pour savoir qui prendra sa douche en premier, suggéra-t-il quand ils eurent terminé leur repas.

— Allez-y ; c'est votre tour.

Kathryn rassembla les reliefs de la pizza puis

s'assit à la fenêtre et regarda tomber la pluie en attendant que Jonah libère la salle de bains. Ensuite, elle se doucha, se lotionna, se brossa longuement les cheveux. Quand elle réintégra la chambre, Jonah dormait profondément, ainsi qu'elle l'espérait. Mais l'espérait-elle vraiment ? Ce petit pincement au creux de l'estomac, ne ressemblait-il pas à de la déception ?

Avec d'infinies précautions, elle se glissa sous la couverture et chercha une position confortable. D'abord allongée sur le flanc droit, face à lui, elle n'arriva pas à fermer les yeux. La lumière du lampadaire extérieur laissait deviner son profil et le lent mouvement de son torse qui se soulevait et s'abaissait la rendait nerveuse. Lorsqu'elle se retourna sur le côté gauche, elle se retrouva accrochée au bord du matelas pour ne pas glisser vers le milieu, sans qu'elle sache si le matelas était vraiment affaissé ou si ses sens lui jouaient des tours.

Kathryn s'éveilla au contact d'une main qui lui caressait le dos, comme sa mère le faisait autrefois. Elle s'étira et ouvrit les yeux pour se retrouver nez à nez avec Jonah, pratiquement allongée sur lui.

Il lui fallut un moment pour comprendre pourquoi elle se trouvait dans cette position. Le matelas était bel et bien affaissé et, durant la nuit, Jonah avait glissé dans le creux du lit, la faisant involontairement rouler sur lui…

— Bonjour, dit-il doucement. Je sais que j'ai promis de ne pas vous violer, mais nous avons omis d'aborder le problème inverse. Après mûre réflexion, j'ai décidé de me laisser faire. En réalité, je serai même heureux de coopérer…

Kathryn prit appui des deux mains sur sa poitrine pour se rejeter en arrière.

— Aïe ! Ce n'est pas très gentil de m'utiliser comme repoussoir alors que j'agis en parfait gentleman.

Elle lui jeta un regard entendu.

— Enfin… presque, admit-il dans un sourire. Mais reconnaissez que vous êtes rabat-joie, Katie.

Avec regret, semblait-il, il se leva.

Kathryn s'assit au bord du lit, s'efforçant de ne pas le regarder traverser la pièce et tirer le rideau. Il aurait été si facile de s'abandonner à ses caresses, d'approcher ses lèvres des siennes et de faire l'amour…

Alors, pourquoi ne l'avait-elle pas fait ? Et pourquoi le regrettait-elle aussi amèrement, à présent qu'il était trop tard ?

Quand Kathryn rejoignit Jonah après avoir rassemblé leurs modestes effets, elle le trouva penché sous le capot du pick-up, en train d'examiner le moteur. En la voyant approcher, il lui jeta un regard de biais, conclut que, ce matin, sa Katie n'était pas aussi maîtresse d'elle-même qu'elle aurait voulu le faire croire, et se mit à siffloter.

Kathryn s'immobilisa près de la portière du passager qu'elle inspecta avec un froncement de sourcils.

— J'ai repris votre idée de colmater le joint avec du ruban adhésif, expliqua Jonah.

Elle leva son regard vers le ciel.

— Il n'y a pas un nuage en vue.

— On ne sait jamais.

— Je lui ai trouvé encore un usage.

Quand il eut terminé de vérifier les niveaux et refermé le capot, il s'aperçut que les autocollants avaient disparu sous une couche de ruban adhésif.

— Vous aviez raison, dit Kathryn, en lui tendant le rouleau. On peut tout arranger, avec ça.

Il posa un rapide baiser sur sa joue.

— Vous êtes un amour, Katie. Rappelez-moi de vous emmener chaque fois que je projetterai de piller une banque.

Elle grimpa dans la voiture.

— En route pour le hold-up !

Durant la demi-heure de trajet qui les séparait de Madison, ils répétèrent soigneusement leur scénario. Malgré tout, Jonah se sentait nerveux quand Kathryn se dirigea vers le guichet, tendit sa carte de crédit et annonça :

— Je voudrais opérer le retrait maximum autorisé.

L'employée parut ennuyée.

— Il me faut une pièce d'identité, dit-elle en glissant la carte dans le lecteur de son ordinateur.

Kathryn lui tendit son permis de conduire. Sans quitter l'écran des yeux, l'employée le prit, mais, avant de l'avoir consulté, elle fronça les sourcils. Son regard survola Kathryn puis sembla s'attarder sur Jonah.

— Veuillez m'excuser, dit-elle. Il semble qu'il y ait un problème avec mon ordinateur. Je vais procéder sur un autre. Si vous voulez bien patienter un instant, je reviens.

Et sans attendre de réponse, l'employée s'éloigna, la carte de crédit de Kathryn et son permis de conduire à la main.

# 5.

Kathryn était trop choquée pour esquisser le moindre geste. Faisant mine de jouer avec un trombone abandonné sur le guichet, Jonah approcha ses lèvres de son oreille.

— Dirigez-vous tranquillement vers la porte, comme si vos transactions étaient terminées.

— Mais je dois attendre ma carte de crédit ! protesta Kathryn. Sans parler de mon permis. Elle a dit qu'elle revenait…

Lorsque, à l'expression de Jonah, la jeune femme comprit qu'il s'attendait qu'une escouade de policiers débarque à tout moment, son cœur se mit à battre très fort.

— D'accord, dit-elle précipitamment.

Traverser la salle en affectant la plus parfaite décontraction représenta un exploit, et ce ne fut qu'une fois la porte franchie qu'elle souffla. Le pick-up stationnait non loin de là. Elle se hissa sur le siège du passager tandis que Jonah démarrait.

Un regard en arrière lui permit de constater avec soulagement que tout semblait normal. Puis elle jeta un coup d'œil au compteur.

— Ne pouvons-nous rouler plus vite, Jonah ? J'ai l'impression que personne ne nous suit, mais on n'est jamais trop prudent.

— Inutile d'attirer l'attention.

— Parce que vous ne trouvez pas ce véhicule remarquable en soi ?

— Avec un peu de chance, il est passé inaperçu.

Kathryn soupira.

— Abandonner ainsi ma carte de crédit et mon permis de conduire…

— Pour votre permis, c'est ennuyeux, bien sûr. Quant à votre carte, elle aurait été de toute façon inutilisable à partir de maintenant.

— Papa l'a déclarée volée, dit-elle d'un ton morne.

— C'est ce que j'ai tout d'abord pensé, mais ce n'est pas nécessairement vrai. Je ne crois pas que le statut de votre compte ait changé depuis le retrait d'hier. Plus probablement, l'employée a réagi à une note apparue sur l'écran.

Kathryn secoua la tête.

— On aurait dit que ma carte était radioactive !

— Peut-être voulait-elle simplement prendre conseil auprès d'un supérieur.

— Je n'ai pas l'habitude d'être traitée en criminelle, Jonah. Et que mon propre père me mette dans cette situation me rend malade...

— Ecoutez, Katie, je n'imagine pas Jock vous privant de tout moyen d'accéder à votre compte.

— Moi, si, répliqua-t-elle amèrement. Mais s'il croit qu'il va me faire revenir en rampant en me privant de ressources, il se trompe lourdement !

— Je parie que l'employée était censée avertir la direction avant de vous donner votre argent.

— Pour qu'ils puissent téléphoner à mon père ?

Jonah acquiesça de la tête.

— Ça paraît plus sensé que de vous interdire l'utilisation de votre compte. De toute façon, je ne pense pas que Jock ait l'intention de vous faire jeter en prison.

— On dirait que vous le défendez !

— J'essaie juste de me mettre à sa place.

— Papa apprécierait sûrement !

Jonah lui jeta un regard exaspéré.

— Je ne justifie pas son attitude ; je cherche simplement à deviner son prochain mouvement !

— A présent qu'il sait où je suis, il va réquisitionner l'armée, sans aucun doute.

— Tant que nous nous déplaçons, nous ne risquons pas grand-chose.

— Vous disiez aussi que nous ne risquions rien en nous rendant à la banque ce matin…

Jonah ne répondit pas. Le silence s'épaississant, Kathryn se reprocha de lui faire porter le blâme. Elle n'était pas obligée d'accepter. S'il y avait eu erreur, la responsabilité leur en incombait à tous deux.

— Je suis désolée, dit-elle soudain. Vous n'avez rien à vous reprocher.

Quelques instants plus tard, Jonah quittait la route pour le parking d'un supermarché. Sans couper le moteur, il se tourna vers Kathryn.

— Pourquoi nous arrêtons-nous ? demanda-t-elle.

— Il faut tirer certains points au clair. Vous êtes inquiète, n'est-ce pas, Katie ?

Elle hocha la tête.

— Pas vous ?

— Je l'ai été, mais plus maintenant. Après tout, notre plan fonctionne. Votre père doit être persuadé que vous vous trouvez au Wisconsin. Le plus dur est derrière nous.

— Il sait aussi que vous m'accompagnez. Faisons confiance pour ça aux caméras.

— C'est vrai. J'espérais que vous n'en auriez pas tout de suite conscience.

— Vous êtes donc également repéré.

— Nous nous doutions que ça arriverait tôt ou tard. D'une certaine façon, c'est un soulagement : nous n'avons plus à envisager tous les scénarios possibles.

— Il ne reste que l'histoire de deux fugitifs pourchassés par un fin limier.

— Votre père n'est pas médium, Katie Mac. Ne lui accordez pas plus de pouvoir qu'il n'en a.

— Je vais essayer, dit-elle sombrement. J'imagine que nous allons devoir nous procurer de l'argent.

— Ça faciliterait les choses. Pour tenir jusqu'au Nevada, il faudrait consacrer l'argent qui nous reste à l'essence et à la nourriture en excluant tout luxe inutile.

— Si vous considérez l'hôtel où nous avons

dormi la nuit dernière comme un luxe, je veux bien dormir dans le pick-up ! Mon dos est encore douloureux à cause du matelas.

— Moi, j'ai bien aimé le réveil, répliqua Jonah.

En voyant la rougeur qui envahissait les joues de Kathryn, il sourit malicieusement.

— Quoi qu'il en soit, ne vous inquiétez pas pour l'argent ; nous nous débrouillerons, reprit-il avec insouciance. Et puis, en cas de nécessité, nous pourrons toujours vendre votre reproduction du « Bout du monde de l'Ouest ». Je suis sûr que des amateurs se battraient pour l'avoir.

— Arrêtez, Jonah ! J'ai déjà assez honte d'avoir acheté cette folie.

— Allons, je cherchais seulement à vous amuser !

Il glissa un bras autour de ses épaules et l'attira à lui.

— Ne pensez-vous pas que nous devrions renoncer ? demanda-t-elle d'une voix tremblante.

— Votre père n'est pas tout-puissant et nous ne sommes pas dépourvus d'armes, répliqua-t-il en baisant ses cheveux. Mais si vous doutez, ma

314

chère Katie, je me rendrai à votre décision. Si vous voulez rentrer, dites-le simplement.

L'idée de retourner chez elle réchauffa soudain le cœur de Kathryn ; cependant, son exaltation ne dura pas longtemps. Que trouverait-elle d'autre à son retour qu'un père furieux, un fiancé plein de fourberie et des coureurs de dot avides de lui prodiguer leurs mensonges ?

Elle appuya sa tête contre l'épaule de Jonah et scruta son regard. Il lui parut sombre et sincère. Elle lui avait dit préférer épouser un homme qui reconnaîtrait honnêtement être intéressé plutôt que de courir le risque d'être une fois de plus trompée. En vérité, sa description ne correspondait pas tout à fait à Jonah. Il ne s'était pas mis en tête de courir après son argent ; il n'avait même pas sauté sur l'occasion d'en obtenir quand il en aurait eu l'opportunité. Non, il avait réfléchi avant de prendre sa décision. Même si c'était un choix froidement calculé, il restait très différent des coureurs de dot croisés au cours des dernières années. Par ailleurs, l'autre partie de la description lui convenait ; il était honnête.

Comme elle se détendait contre lui, il la serra dans ses bras et l'embrassa. Sous la tendre pression de ses lèvres, elle se sentit emportée dans un tourbillon de sensations plus délicieuses les unes que les autres.

— Emmène-moi au Nevada, Jonah, murmura-t-elle.

— Immédiatement ?

Les lèvres de Jonah glissèrent le long de son cou pour atteindre l'échancrure du chemisier.

— Je peux encore attendre un peu.

Un moment plus tard, Jonah rompit leur étreinte et démarra.

A la première station-service où ils s'arrêtèrent, il se dirigea immédiatement vers le rayon des cartes routières.

— As-tu vraiment l'utilité de tout ça ? demanda Kathryn en le voyant en sélectionner plusieurs. Je croyais qu'il fallait économiser.

— Il en faudra même d'autres. C'est un long voyage, tu sais.

Kathryn le dévisagea.

— Long comment, exactement ?

— Une trentaine d'heures de conduite.

— Nous allons passer trente heures assis dans ce pick-up ? s'exclama Kathryn, horrifiée.

— Pas d'une traite, bien sûr.

— Quand nous arriverons, nos dents seront déchaussées et j'aurai les jambes tordues pour avoir dû contourner la glacière !

— N'insulte pas ce pick-up, Katie. Non seulement il va nous conduire au Nevada, mais encore il nous en ramènera.

Kathryn poussa un gémissement.

— J'avais oublié que sans carte de crédit, je ne pouvais pas prendre l'avion ! A moins que… et si j'appelais la banque ? C'est ma carte, après tout ; si je dissipe le malentendu, ils m'en enverront une autre.

— Et où te la feras-tu expédier ?

— C'est vrai ! Ah ! mon père aura à répondre d'un certain nombre de choses ! Attends qu'il ait besoin de ma voix lors d'un prochain conseil d'administration !

— Je continue à penser que tu devrais lui téléphoner.

— Seulement quand nous serons en route pour Mars.

— Il ne s'agit pas de discuter avec lui, juste de lui faire savoir que tu vas bien.

— Vu la manière dont il vient d'agir, il ne mérite pas de le savoir.

Résigné, Jonah haussa les épaules.

— Prends le journal, veux-tu ? demanda-t-il en lui désignant le présentoir.

— Trente heures…, maugréa-t-elle en obtempérant. C'est donc si loin, le Nevada ?

— Tu n'as jamais parcouru les Etats-Unis avec ta famille ?

Elle lui jeta un regard dénué d'expression.

Bien sûr que non ! Comment imaginer Jock Campbell dans la peau d'un banal père de famille pressé de rentrer chez lui pour être à l'heure au travail le lendemain matin après une semaine de vacances gagnée à la sueur de son front dans les Rocheuses, avec sa femme qui bâille sur les cartes routières et ses enfants endormis sur le siège arrière ?

— Tu ne plaisantais pas en disant que tu n'étais pas très forte en géographie, dit-il en hochant la tête. Sais-tu combien il y a de kilomètres d'ici au Nevada ?

— En trente heures, s'entêta Kathryn, on a le temps de traverser l'Europe en train.

— C'est une idée à retenir pour notre prochaine fugue. Sauf que tu oublies le but de notre voyage.

Kathryn se mordit la lèvre.

— Désolée.

318

Il la contempla avec attendrissement. Il adorait cette mimique qui attirait l'attention sur ses lèvres.

— Nous irions plus vite en empruntant les grands axes, mais ce ne serait pas très prudent. Considère que nous nous livrons à une pittoresque visite du pays.

Ils étaient arrivés aux caisses. Jonah déposa ses cartes sur le comptoir ; Kathryn y ajouta le journal.

— Quelle pompe ? demanda la caissière.

Jonah esquissa un geste vers les files de voitures stationnant devant les pompes.

— Je n'ai pas noté. C'est le pick-up bleu.

— Il veut dire celui qui était bleu il y a un siècle, précisa Kathryn.

L'employée leva les yeux sur Kathryn et son sourire s'effaça. Elle fronça les sourcils comme si elle cherchait à se rappeler un souvenir diffus.

— Je vais vous donner un sachet, dit-elle sans quitter Kathryn des yeux.

— Inutile, dit Jonah.

Il rassembla prestement les cartes, le journal et tira Kathryn par la main.

— Viens, chérie, il faut nous dépêcher si nous voulons être à Chicago ce soir.

— Pourquoi cette soudaine hâte ? demanda Kathryn tandis qu'ils se dirigeaient vers le pick-up. Et que vient faire Chicago dans l'histoire ?

— Tu n'as pas remarqué la façon dont la caissière te dévisageait ?

— Non.

— On aurait dit que ton visage lui rappelait quelque chose.

Il désigna le journal tout en démarrant.

— Feuillette-le.

Toutefois, il ne put s'empêcher de jeter un coup d'œil à chaque page qu'elle tournait.

— Nous y sommes, dit-il comme apparaissait une grande photographie de Kathryn. Je t'avais pourtant conseillé de te couper les cheveux !

— Et quand en aurais-je eu le temps ? répliqua-t-elle, agressive. Et maintenant, quelle est la marche à suivre ?

— Tenons-nous-en à notre plan. Si ça tombe, la caissière ne t'a peut-être pas reconnue.

— Elle admirait sans doute mon maquillage ? suggéra sèchement Kathryn…

— Ecoute, même si elle a noté la ressemblance, elle est tellement occupée avec ses clients qu'elle va probablement oublier.

Kathryn replia le journal et le posa à côté d'elle.

— A moins qu'elle n'appelle le numéro indiqué dans le journal pour toucher la récompense...

Jonah étouffa un juron.

— Jock offre une récompense ? Bon sang ! J'aurais dû m'en douter. Il faut rester naturels sous peine d'éveiller davantage les soupçons.

— Je te rappellerai ces paroles la prochaine fois que tu te rueras hors d'une station-service comme s'il y avait une alerte à la bombe...

Jonah ne prit pas la peine de répondre.

A l'arrêt suivant, il choisit la pompe la plus éloignée et pria Kathryn de ne pas descendre.

— Il faut pourtant que je me dégourdisse les jambes ! protesta-t-elle.

— Pas avant que je t'aie procuré un déguisement.

Le regard de la jeune femme se rétrécit entre ses paupières.

— Si tu me rapportes une paire de lunettes noires avec des moustaches fixées dessus, je te réduis en bouillie, Clarke !

En souriant, Jonah s'éloigna vers la boutique. Il revint assez content de lui, mais ce fut avec des doigts nerveux que Kathryn ouvrit le paquet qu'il lui tendait. Elle en sortit tout d'abord une casquette portant le logo de la chaîne concurrente de Katie Mae's Kitchens.

— Tu pourras y dissimuler tes cheveux, expliqua Jonah. C'est d'ailleurs pour ça qu'on affuble les serveuses de ces casquettes.

— Je dois sans doute m'estimer heureuse qu'elles ne portent pas de fichus, grommela Kathryn.

— Pour le reste, reprit-il, comme je trouvais les lunettes de soleil trop voyantes, j'ai acheté des lunettes de lecture ; leur monture en écaille détournera l'attention de tes superbes yeux bleus.

— Et elles me donneront un furieux mal de tête !

Sans répondre, il démarra malgré les protestations de Kathryn qui tenait à descendre.

— Tu ne vas tout de même pas retourner dans cette boutique avec le déguisement que je viens d'y acheter ! fit-il remarquer.

— Va pour la suivante. De toute façon, vu que je ne peux plus te relayer puisque je n'ai plus de permis, tu devras faire de fréquents arrêts.

— C'est à croire que tu l'as fait exprès !

Ils roulèrent en silence pendant plusieurs

kilomètres. Lorsqu'ils arrivèrent en vue d'un bosquet, la jeune femme se tourna vers son compagnon.

— Nous pourrions pique-niquer, suggéra-t-elle. Il me semble avoir vu une couverture métallisée dans la trousse de secours que nous avons achetée.

— Bonne idée ! s'exclama Jonah en arrêtant la voiture sur le bord de la route.

Kathryn rassembla les provisions pendant qu'il sortait la couverture, puis ils s'engagèrent dans le sous-bois. Peu après, ils atteignirent une clairière tapissée d'herbe grasse. Kathryn, qui marchait devant, s'immobilisa si soudainement que Jonah faillit la bousculer. Il regarda par-dessus son épaule et aperçut, loin en contrebas, un fleuve qui serpentait paresseusement au fond d'une verte vallée.

— Le Mississippi, dit-il. Tu ne l'as donc jamais vu ?

— Si, bien sûr. Mais d'avion, ça ne fait pas le même effet.

Jonah étendit la couverture sur l'herbe tandis que Kathryn s'approchait de l'à-pic.

— C'est si beau, murmura-t-elle, et si paisible. Même si ce paysage n'est pas aussi impressionnant que les Rocheuses ou le Grand Canyon, il possède beaucoup de charme. Tous ces tons de vert… j'aimerais avoir un appareil photo…

— Pour cette vue, je ne peux rien faire, dit Jonah en brandissant un énorme sandwich au jambon et au fromage qu'il venait de se confectionner, mais si tu tiens à rapporter des souvenirs de notre voyage de noces, je peux toujours demander à la banque les photos prises par leur caméra.

— Il y a aussi le flash des policiers du Minnesota ! ajouta gaiement Kathryn.

Elle s'assit près de lui en tailleur et prit une tranche de jambon.

— Que ferais-tu aujourd'hui si je ne t'avais pas entraîné dans cette aventure ?

Il devait s'être inconsciemment préparé à cette question car il répondit sans hésiter.

— Je serais à mon poste.

— Quel est ton métier ?

— Je travaille dans une usine d'équipement électronique.

— Assembler des circuits, ça doit être assommant.

— Parfois, oui, mais c'est mieux que l'usine de fabrication de matières plastiques où je travaillais auparavant. Déjà, ça sent nettement moins mauvais. Et encore avant, j'ai travaillé dans un Katie Mae de Saint Paul.

Il termina son sandwich et s'allongea, bras croisés derrière la tête.

— C'était grâce à ton père que j'avais obtenu cet emploi, je tiens à ce que tu le saches.

Kathryn déchirait son jambon en petits morceaux.

— Est-ce que ton absence va te causer des ennuis avec… comment s'appelle-t-il déjà… Brian ?

— Il aura probablement tout un assortiment de commentaires à faire.

La vérité était que Brian serait tenté de le passer à la poêle à frire, mais Jonah affronterait le problème le moment venu.

— N'oublie pas de le rappeler…

Jonah ferma les yeux.

— Comment vas-tu justifier ton absence ?

— J'avancerai le prétexte d'une partie de pêche, répondit-il d'une voix ensommeillée.

Qu'importait ce qu'il racontait à son patron, pensa Kathryn. Avec les quinze pour cent des parts de Katie Mae's Kitchens qu'il allait obtenir, Jonah n'aurait plus besoin de travailler. S'il le désirait, il pourrait passer son temps à pêcher.

A moins que, dans son demi-sommeil, il n'ait fait allusion à une tout autre sorte de pêche : la pêche à l'héritière brune aux yeux bleus.

« Allons, ne sois pas idiote ! » se dit-elle. Si quelqu'un avait appâté Jonah, c'était bien elle. Elle se laissait emporter par son imagination. En tout cas, plus vite ils atteindraient le Nevada, mieux ce serait.

Après avoir rassemblé les restes du repas, elle le regarda dormir quelques instants pour finalement, à contrecœur, le secouer.

— Nous avons encore une longue route, Jonah...

Kathryn considéra le pick-up sans entrain. Sa seule vue lui donnait mal au dos et des fourmis dans les jambes. Cependant, la contemplation du paysage l'aida à prendre son mal en patience. Ils suivirent un moment la route touristique qui longeait le Mississippi avant d'obliquer vers l'intérieur des terres, toujours par des routes secondaires. Ils traversèrent de petites villes et des villages aux coquettes maisons qui enchantèrent Kathryn par leur charme victorien, et ce fut avec réticence qu'elle s'arracha à ce spectacle pour consulter la carte sur les instances de Jonah.

— Je pense que nous sommes maintenant assez loin pour récupérer l'autoroute. Essaie de voir si tu trouves un itinéraire.

— Où sommes-nous ?

— Je n'en sais trop rien. Sans doute encore en Iowa.

— Ah ! Cette petite ville doit être Ash Grove.

Des yeux, elle chercha un panneau indicateur et poussa un cri.

— Regarde, un vrai marché ! On dirait une carte postale !

Devant eux, au centre d'un jardin public, semblable à une pièce montée s'élevait le palais de justice. Dans les rues adjacentes, garés comme des soldats de plomb, camions et camionnettes ouvraient leurs portières sur l'abondance des fruits et légumes estivaux. Pour parachever la beauté du tableau, le soleil de l'après-midi baignait la scène d'une lumière à faire pâlir d'envie les producteurs hollywoodiens.

— Magnifique, répliqua distraitement Jonah en s'arrêtant à un feu rouge. Et où suis-je censé tourner ?

— Après l'intersection, on devrait trouver un panneau.

Le feu passa au vert et le pick-up démarra. Ses passagers jetèrent un dernier regard au spectacle chamarré du marché. Aucun des deux ne vit surgir le bolide qui grilla le feu rouge et vint emboutir l'aile avant de leur véhicule.

# 6.

Il y eut un crissement de freins strident, immédiatement suivi d'un choc dont la violence projeta le pick-up de l'autre côté de la chaussée où il faillit percuter un véhicule garé le long du trottoir. Lorsqu'il s'immobilisa, tanguant encore sur ses amortisseurs, Jonah se tourna vers Kathryn, l'angoisse au cœur.

Mon Dieu ! S'il lui arrivait quelque chose alors qu'elle s'était mise sous sa protection... Dire qu'elle ne voulait pas acheter cette épave ! Pourquoi avait-il tant insisté ?

Cependant, à part l'effet du choc, elle semblait indemne. Pas de coups ni de blessures apparents ; pas de sang ruisselant sur son visage.

— Comment te sens-tu ?

Comme elle ne répondait pas immédiatement, il se fit plus pressant.

— Katie, je t'en prie, réponds-moi ! Es-tu blessée ?

Elle secoua la tête.

— Non, ça va. Tranquillise-toi, Jonah. Je ne mourrai pas avant que tu aies obtenu tes quinze pour cent.

Elle était vraiment impossible ! se dit-il avec irritation. Comment pouvait-elle penser à ce genre de détail dans des moments pareils !

— Voilà qui me rassure, grommela-t-il. Encore que ce ne soit pas le principal sujet de mes préoccupations. Dans un éclair, je me suis vu expliquant la situation à ton père.

— Que s'est-il passé ?

A travers le pare-brise tout étoilé, on apercevait la voiture qui avait percuté l'avant du pick-up.

— On dirait une vieille Cadillac, dit-il.

— Il fallait au moins ça, pour ébranler ce tank !

— Estime-toi heureuse que nous n'ayons pas été coupés en deux. Allons voir dans quel état se trouve le conducteur.

— Explique-moi comment sortir, alors que ma portière est bloquée par le ruban adhésif et la tienne par le véhicule que nous avons failli

330

heurter ? Nous voilà à égalité avec nos portières : aucune ne fonctionne.

Jonah tourna la poignée d'ouverture de sa vitre et constata avec soulagement qu'elle fonctionnait.

Attirés par le bruit, les badauds commençaient à affluer sur le lieu de l'accident. Un homme s'efforçait de tirer le conducteur de la Cadillac de son siège tandis qu'un autre s'approchait du pick-up. Après avoir sorti un couteau de sa poche, il entreprit de découper le ruban. Un instant plus tard, la portière s'ouvrait. Il tendit la main à Kathryn pour l'aider à descendre.

— Désolé de cette entrée en matière. D'habitude, nous nous montrons plus accueillants envers les étrangers.

— J'ai cru à une coutume locale !

L'humour, dans la voix de Kathryn, sonnait un peu faux. Comprenant qu'elle était probablement moins maîtresse d'elle-même qu'elle voulait le faire croire, Jonah sentit son irritation se dissiper.

Il s'extirpa à son tour de son siège. Une odeur de caoutchouc brûlé flottait dans l'air, mêlée à celle, caractéristique, de l'antigel. S'accroupissant, il constata qu'une flaque verdâtre s'élargissait sous le pick-up et, mentalement, ajouta un délai supplémentaire d'une journée pour la réparation du radiateur.

L'homme repoussa son chapeau en arrière.

— La dépanneuse ne devrait pas tarder.

— Merci d'avoir prévenu le garage.

— Oh ! ce n'était pas nécessaire ! Chez nous, les nouvelles vont vite.

Il tendit une main.

— Je me présente : Larry Benson, maire d'Ash Grove.

Jonah n'eut d'autre ressource que de se présenter à son tour.

— Jonah Clarke, dit-il en serrant la main offerte.

Le regard de Larry Benson se posa sur Kathryn qui avait rejoint la foule des badauds rassemblés autour de la Cadillac.

— Mme Clarke, je présume ?

Et il enchaîna, sans attendre de réponse :

— Une forte femme que vous avez là ! La plupart auraient piqué une crise de nerfs. Je vois à votre plaque que vous venez du Minnesota. Ce n'est pas la porte à côté.

— C'est sûr.

Jonah regarda la Cadillac et découvrit que

son conducteur était une femme et que celle-ci se trouvait toujours assise à son volant.

— Avez-vous appelé une ambulance ?

— C'est inutile. Voyez-vous, cette personne appartient à l'autre catégorie de femmes : celles qui font des histoires pour rien.

— Vous la connaissez ?

— Bien sûr. C'est un véritable danger public ! De toute façon, il y a des témoins.

— J'avoue ne pas très bien savoir ce qui s'est passé, dit Jonah.

— Elle prétendra probablement avoir été éblouie par le soleil… Mais elle connaît l'existence des feux ; elle aurait dû ralentir. Ah ! voici le constable ! Il va se charger de l'affaire.

Exactement ce dont ils avaient besoin ! pensa Jonah. La police vérifierait forcément les antécédents des deux conducteurs. Et quand le dossier reviendrait… Ils étaient dans les ennuis jusqu'au cou.

— Ne vous inquiétez pas, reprit le maire. Vous n'êtes pas responsable.

Le constable s'approcha, demanda le permis de conduire de Jonah et établit un procès-verbal. Quand il eut terminé, la conductrice de la Cadillac daigna enfin descendre de son véhicule. Tout en tamponnant une légère estafilade ornant son front, elle prononça quelques mots où il était question de chirurgie esthétique.

Prenant soin de faire un détour pour l'éviter, Jonah rejoignit Kathryn à un étal dont elle inspectait la marchandise.

Elle le regarda, manifestement dans l'expectative, mais se contenta de dire :

— Les laitues sont superbes.

— Tu as oublié tes lunettes et ta casquette, fit remarquer Jonah.

— Trop tard, murmura-t-elle avec un haussement d'épaules.

Elle avait raison. Si quelqu'un dans la foule avait dû la reconnaître, ce serait déjà fait.

— La dépanneuse doit arriver.

— Les dégâts sont-ils importants ?

— Nous sommes bloqués ici ce soir, voilà qui est sûr, répondit-il, tête baissée. Le maire a proposé de te conduire à l'hôtel. Apparemment, il n'y en a qu'un dans les parages.

— Et toi ?

— Je te rejoindrai dès que possible.

— Pourquoi te frottes-tu la tempe ?

— Ce n'est rien. Ma tête a dû heurter la portière dans le choc.

— Il faut mettre de la glace dessus. Je crois qu'il en reste dans la glacière. Il suffirait de trouver un sac et…

— Laisse tomber, Katie. Voilà le camion. Va plutôt récupérer tes affaires.

Quelques instants plus tard, tandis que Jonah regardait la dépanneuse tirer la Cadillac dans un grincement de tôles, une petite main se posa sur son bras.

— Tiens, prends, dit Kathryn en lui tendant la casquette qu'il lui avait achetée remplie de glaçons.

Il la remercia et l'appliqua contre sa tempe.

— Va, ne fais pas attendre le maire.

— Tu me rejoins à l'hôtel, n'est-ce pas ?

— Bien sûr.

Elle lui jeta un long regard avant de rejoindre le maire, portant les deux sacs de papier brun contenant leurs possessions avec la même dignité que s'il s'était agi de coûteux bagages.

Quelle classe ! pensa Jonah en la regardant s'éloigner. En l'espace de quarante-huit heures, elle était passée d'une luxueuse demeure à une série d'hôtels plus ou moins miteux, d'une somptueuse robe de mariée à un jean d'occasion, d'un voyage de noces aux Bermudes à un séjour forcé à Ash Grove, Iowa, pour cause de manque d'argent et de moyen de transport.

Difficile de prétendre que la vie de Katie Mae Campbell se soit améliorée depuis leur rencontre, constata-t-il avec amertume.

En passant un peu plus tôt, Kathryn avait remarqué l'hôtel situé à l'entrée de la ville à cause de son joli porche sous lequel se trouvait suspendue une balancelle. Mais, évidemment, elle ne s'attendait pas alors à le revoir de sitôt.

Après s'être garé, au lieu de descendre, le maire tapota quelques instants son volant d'un air embarrassé.

— Si vous avez des ennuis, dit-il enfin, la municipalité dispose d'un fonds de secours pour les cas d'urgence…

L'offre toucha tellement Kathryn que ses yeux s'embuèrent de larmes.

— Il ne s'agit pas de charité, ajouta très vite Larry Benson. Il peut arriver à tout le monde de se trouver dans une situation difficile. Avoir un accident loin de chez soi occasionne des dépenses imprévues…

— Merci infiniment, monsieur Benson, mais

336

je pense que pour un jour ou deux, nous nous tirerons d'affaire.

— Enfin… vous savez à qui vous adresser en cas de besoin. Maintenant, venez. Je vais vous présenter à Sam et Jennie.

Le bureau de la réception était vide et, après que le maire eut actionné la sonnette, il fallut attendre encore un moment pour voir arriver une femme qui marchait difficilement, appuyée sur une canne.

— Bonjour, Larry. On m'a annoncé votre arrivée.

Un regard bleu pétillant se posa sur Kathryn.

— Je suis désolée pour vous, mon petit. Nous ferons notre possible, Sam et moi, pour que votre séjour se déroule dans les meilleures conditions. Malheureusement, le confort n'est plus ce qu'il était ! Nous avons dû ralentir notre activité, en raison de mon arthrite et de l'angine de poitrine de Sam.

— Nous serons très bien, j'en suis sûre, madame…

— Jennie suffira, mon petit. Venez, le thé est bientôt prêt.

— Comment vous appelez-vous ? demanda Jennie quand Larry Benson se fut retiré.

Kathryn songea à donner un nom d'emprunt, mais, craignant des complications, y renonça.

— Kathryn, c'est un joli prénom, dit la brave femme. Mais je croyais que vous vous appeliez Clarke…

— C'est le nom de mon… fiancé.

— Ah bon…

De mieux en mieux ! se morigéna Kathryn. Qu'est-ce que ça lui aurait coûté de prétendre qu'ils étaient mariés ? Aurait-elle oublié qu'ils se trouvaient dans une petite ville de l'Amérique profonde où un comportement aussi immoral ne manquerait pas de choquer ?

Jonah arriva une heure plus tard, alors que la nuit tombait et que la fraîcheur envahissait l'air. En le voyant grimper les marches du porche où elle s'était installée, chargé de la glacière et d'un paquet, le soulagement envahit Kathryn.

Il s'arrêta sur la dernière marche.

— N'y aurait-il plus de chambre ?

— Si, bien sûr. Seulement, il ne m'a pas fallu longtemps pour défaire les bagages et je suis venue t'attendre ici…

Il posa la glacière et lui tendit le paquet avant

de s'asseoir près d'elle sur la balancelle. Kathryn regarda l'objet. Elle n'avait pas besoin de le déballer pour savoir qu'il contenait la reproduction du relais du Bout du monde.

— Mauvaises nouvelles, je suppose. Si tu as vidé le pick-up, c'est qu'il est irréparable.

— Avec du temps et de l'argent, un bon garagiste peut réparer n'importe quoi ; seulement, en l'occurrence, il semble que le plus simple serait de couper le pick-up en deux et de remplacer la partie avant.

— Pas très pratique, dit-elle d'une voix qu'elle voulait ferme. Surtout pour notre budget.

Il hocha la tête.

— Même si l'assurance marche, ça mettra du temps. Et ils ne rembourseront sûrement pas grand-chose.

— Alors…

— Alors, le temps est peut-être venu de jeter l'éponge.

— Tu renonces au Nevada ?

Ou peut-être, tout simplement, à l'idée même du mariage…

— Ce n'était pas raisonnable. Je ne sais où j'avais la tête pour envisager un aussi long trajet sans repos correct. C'est trop dangereux. Tu aurais pu être blessée.

— Tu n'es pas responsable de l'accident, Jonah.

— Une journée de plus au volant et j'aurais pu l'être. Je considère qu'il s'agit d'un avertissement.

— Si nous n'allons pas au Nevada, que faisons-nous ?

— Je n'y ai pas encore réfléchi.

— As-tu changé d'avis sur d'autres points ? demanda-t-elle avec circonspection.

— Que veux-tu dire ?

— Les quinze pour cent des parts de Katie Mae's Kitchens ont peut-être perdu de leur attrait au regard de ce que tu dois endurer pour les gagner.

Il eut un petit sourire.

— Tu veux savoir si j'ai renoncé à l'idée du mariage ? Non, Katie. Je t'épouserais sur l'instant, si c'était possible.

C'était gentil de présenter les choses ainsi, se dit Kathryn. Néanmoins, il ne s'agissait pas d'oublier qu'il épousait Katie Mae's Kitchens, et non Kathryn Campbell.

— Marions-nous donc ici, dans ce cas. Le délai n'est que de trois jours.

— Comment le sais-tu ?

— La propriétaire de l'hôtel me l'a expliqué.

— Comment a-t-elle pu deviner que le sujet t'intéressait ?

Kathryn n'avait pas envie de lui raconter les questions posées par Jennie, la crise de larmes qu'elles avaient déclenchée, ni la bonté de la voix de la brave femme et sa sincère préoccupation.

— Comme dans toutes les petites villes, les gens aiment se mêler des affaires des autres, répondit-elle. En fait, ajouta-t-elle, craignant de se montrer déloyale vis-à-vis de Jennie en présentant les choses ainsi, à mon avis, il ne s'agit pas de malveillance, mais d'un réel désir d'aider.

— Effectivement, le garagiste mourait de curiosité d'en savoir plus. Pour tout dire, il m'a proposé du travail si nous restions dans le coin. Tu sais, Katie Mae, je ne désire rien d'autre que t'épouser ce week-end.

Kathryn exhala le soupir qu'elle retenait inconsciemment.

— Dans ce cas, allons acheter de quoi fêter dignement l'événement !

Tandis qu'ils marchaient dans la douce soirée d'été, Jonah prit tout naturellement la main de Kathryn. Le suave parfum des roses des jardins environnants embaumait l'air et le grondement occasionnel des camions passant sur l'autoroute n'arrivait pas à couvrir les chants des oiseaux et les appels des mères tentant de rassembler leur progéniture pour le dîner.

— Dommage que le pick-up ait connu une si triste fin ! dit Kathryn. Je commençais à m'y attacher.

— Moi aussi, même s'il consommait ses dix litres d'huile aux cent kilomètres !

— Tu n'avais pas mentionné ce détail.

— Tu sais très bien pourquoi.

— Parce que j'aurais piqué une crise en disant que ce véhicule n'était pas sûr…

Il lui sourit.

— Oui, mais finalement, tu y serais tout de même montée. Tu sais, Katie, je trouve que tu as un cran incroyable. Pas une femme au monde ne s'en serait tirée avec autant de panache !

Considérant le nombre de femmes qu'il avait certainement connues, Kathryn apprécia le compliment à sa juste valeur, même s'il lui laissait un curieux goût de cendre dans la bouche.

En rentrant, ils trouvèrent l'hôtel plongé dans l'obscurité, hormis deux fenêtres éclairées.

— Je me demande où ils sont tous passés, dit Jonah. Il semble que nous n'ayons pas trouvé le lieu où l'on s'amuse.

— Il y a très peu de clients.

Jonah parut surpris.

— Mais il doit bien y avoir vingt chambres ! Et j'ai vu la pancarte « Complet » accrochée dans le hall.

— A cause de leur mauvaise santé, Jennie et Sam refusent les clients. Ils nous ont accueillis parce que notre situation a suscité leur sympathie.

— Une chance…

Jonah prit la glacière qu'il avait laissée dans un coin du porche et suivit Kathryn dans l'allée qui longeait l'hôtel jusqu'à la chambre la plus éloignée. Il examina l'intérieur avec intérêt.

— C'est sobre, constata-t-il avec une légère grimace.

— Ne nous plaignons pas. Nous avons notre

propre cuisine, maintenant. Enfin, notre kitche-nette, pour être plus précis.

Jonah déposa un baiser sur sa tempe.

— Et j'ai trois jours pour découvrir à quel genre de cuisinière j'ai affaire avant de m'engager définitivement !

Kathryn dormait, ou faisait semblant, quand il sortit de la douche. Il n'y avait qu'un moyen de s'en assurer, pensa-t-il en se glissant dans le lit et en se blottissant dans sa chaleur. Si elle était éveillée, elle réagirait d'une manière ou d'une autre à son contact.

Mais elle se contenta de soupirer et il se dit que ce n'était pas très loyal d'entretenir des pensées lascives alors qu'elle était si fatiguée. En outre, se rappela-t-il, ce n'était pas le but du test. En réalité, qu'elle soit éveillée ou pas, il pouvait passer son coup de fil ; simplement, ce serait plus simple si elle dormait. Autant attendre donc bien au chaud, le nez pressé contre son odorante chevelure…

Il sortit du lit et se rhabilla une fois qu'il fut absolument certain qu'elle dormait profondé-ment.

Après s'être silencieusement glissé hors de la chambre, il se dirigea vers une cabine téléphonique qu'il avait repérée au coin de la rue.

Une demi-douzaine de sonneries retentirent, puis on décrocha enfin.

Jonah consulta sa montre en souriant.

— Bonsoir, Brian !

— Jonah ! Mais où es-tu ?

— Je n'ai pas changé de fuseau horaire, rassure-toi.

Brian émit un reniflement de mécontentement.

— Tu sais donc pertinemment que ce n'est pas une heure pour appeler !

— J'ai l'impression que tu as eu une rude journée. Si tu veux, je raccroche.

— Pas question ! Je suppose que tu refuses toujours de me dire ce que tu fabriques ?

— Ce n'est pas la raison de mon appel.

— Je vois. Est-elle blonde, brune ou rousse ?

— Tu n'y es pas du tout ! Pourquoi y aurait-il forcément une femme là-dessous ?

— Parce que, avec toi, c'est généralement le cas.

— Bon, sérieusement, est-on venu poser des questions à mon sujet ?

— Personne d'extérieur à la boîte. Au personnel, j'ai dit qu'on avait dû t'interner dans un hôpital spécialisé pour une cure de désintoxication.

— Très drôle.

— Allons, Jonah, désolé de froisser ton ego, mais ton absence est passée pratiquement inaperçue. Cela dit, ce n'est pas une raison pour disparaître des semaines entières.

— Personne n'est donc venu enquêter sur moi…

— Pourrais-tu m'expliquer qui sont ces mystérieux personnages, à la fin ?

— Non, sauf que mon père pourrait être l'un d'eux. Dis-leur simplement ce que tu sais.

— Mais je ne sais rien, Jonah !

— Dans ce cas, tu n'auras pas trop de mal à transmettre l'information. Je te rappelle d'ici deux jours.

Après avoir raccroché, Jonah demeura un moment indécis, se frottant la joue. Puis il sortit une page de journal pliée de sa poche et reprit le téléphone. Il avait différé cet instant autant que possible, mais il ne pouvait attendre plus longtemps…

***

Un faible miaulement éveilla Kathryn sans qu'elle puisse décider s'il s'agissait d'un rêve ou de la réalité. Elle se souleva sur un coude et l'entendit de nouveau, juste sous la fenêtre. Après un coup d'œil à Jonah qui dormait, le visage enfoui dans son oreiller, elle se leva.

Quand il ouvrit la porte un quart d'heure plus tard, il la trouva assise sous le porche, regardant un chaton pitoyable qui dévorait des lambeaux de jambon prélevé dans le réfrigérateur.

— Tu es bien matinale. C'est ton nouvel ami ?

Jonah s'assit près de la jeune femme et prit une lanière de jambon qu'il laissa pendre au bout de ses doigts.

— Tu as téléphoné à Brian, hier soir ? demanda-t-elle.

Il acquiesça d'un hochement de tête.

— Et qu'a-t-il dit ?

— Que je ne manquais à personne et qu'il couvrirait mon absence tant qu'il pourrait.

Le chaton avala le dernier morceau de jambon, se lécha les pattes et regarda le lambeau que tenait toujours Jonah. Comme ce dernier s'amusait à le faire balancer de droite à gauche, la tête du chaton suivit le mouvement en parfaite synchronisation.

— Tu aurais pu l'appeler de la chambre.

Soudain, le chaton s'approcha et, d'un coup de patte, attrapa le morceau convoité.

— Allons nous préparer, dit Jonah. Nous avons à faire. Il faut acheter du lait pour le chat. Oh ! et puis s'occuper de notre licence de mariage…

Avec ses plafonds de quatre mètres de haut, ses ornements de stuc et ses guichets de marbre, l'intérieur du palais de justice était aussi grandiose que l'extérieur. L'employée qui les reçut semblait ravie de l'aventure.

— Tout le monde en ville est désolé que vous ne puissiez poursuivre votre voyage, leur confia-t-elle, mais c'est tellement excitant que vous ayez décidé de vous marier chez nous, en fin de compte !

D'un tiroir, elle sortit un formulaire.

— Remplissez ceci, mais ne signez pas, précisat-elle, car vous devrez le faire devant notaire. Je vais faire appeler Mme Smith. Il nous faut aussi un témoin, mais je vois que Jennie vous accompagne. Ensuite, il faudra payer les droits d'enregistrement.

Pendant que Kathryn saisissait un stylo, Jonah régla la somme.

— J'ai également besoin de vos permis de conduire...

Il fallut un moment à Kathryn, qui s'appliquait à sa tâche, pour comprendre le sens des paroles de l'employée.

— Je vous demande pardon ?

Jonah posa ses coudes sur le guichet et se prit la tête entre les mains.

— Madame a besoin de ton permis de conduire...

« C'est impossible ! » pensa Kathryn. « Des choses comme ça ne peuvent pas arriver ! »

Et, devant l'absurdité de la situation, elle se mit à rire pour éclater en sanglots la minute suivante.

# 7.

En entendant Kathryn pleurer, Jonah releva la tête. Elle n'était pas loin de la crise de nerfs, constata-t-il, et il ne pouvait l'en blâmer. Pour un peu, il en aurait fait autant.

Au lieu de ça, il la prit dans ses bras pour la réconforter. Elle s'accrocha à lui avec une énergie dont il ne l'aurait pas crue capable et nicha son visage dans son cou.

— Tiens bon, Kathryn. Nous trouverons une solution.

L'employée paraissait sidérée par la réaction qu'elle avait bien malgré elle déclenchée.

— Ce n'est qu'une formalité, expliqua-t-elle d'un ton conciliant. Il nous faut bien une preuve de l'identité des gens.

— Un témoin n'est pas suffisant ? demanda Jonah.

— Cela peut suffire, monsieur, mais pas dans

ce cas. Jennie ne vous connaît pas depuis plus longtemps que nous. Elle vous fait confiance, c'est tout.

— C'est vrai, intervint Jennie. Mais je suis sûre que ces enfants disent la vérité.

— Je ne peux pas faire ça, dit l'employée. Je perdrais ma place. De plus, tout le monde a un permis de conduire !

Doucement, Jonah prit son sac des mains de Kathryn et l'ouvrit. Pour un aussi petit objet, il contenait un nombre invraisemblable de compartiments. Méthodiquement, il entreprit d'en vider le contenu sur le guichet. Rouge à lèvres, miroir, peigne, trousseau de clés, stylo et porte-mine assortis portant ses initiales gravées, mouchoir soigneusement plié… petite monnaie, tube de crème pour les mains… deux bonbons à la menthe… un flacon de vernis à ongles et une lime… le ticket d'achat de la reproduction du relais du Bout du monde… une enveloppe…

— Qu'est-ce que c'est ? demanda-t-elle en tendant la main.

— Si tu ne le sais pas, qui le saura ?

De l'enveloppe, elle tira un feuillet de papier bleu.

— Aucun intérêt, murmura-t-elle.

352

Elle s'empara du mouchoir et s'en tamponna les yeux.

— Si tu me disais ce que tu cherches, je pourrais t'aider.

— Enfin, il doit bien être quelque part ! Tu m'as dit avoir emporté ton passeport !

Les yeux de Kathryn s'élargirent.

— J'avais complètement oublié !

Elle prit son sac et, d'une poche secrète, tira un étui bleu.

— Finalement, Douglas va servir à quelque chose ! Jonah, tu es merveilleux ! s'exclama-t-elle en le contemplant avec gratitude.

Il secoua la tête.

— Je croyais pourtant avoir fouillé ce sac de fond en comble…

— Voyons ça, dit l'employée en prenant le passeport. Nous n'en voyons guère par ici, mais c'est un document officiel.

Son regard alla de la photo au visage de Kathryn.

— La photo vous ressemble moins que celle du journal.

Jonah s'arrêta de respirer. Kathryn se figea, telle une statue de marbre.

— Quel journal ? demanda Jonah.

— *La Gazette d'Ash Grove*. Votre accident y est relaté en détail.

Elle recopia le numéro du passeport et rêva un moment sur les tampons multicolores qui ornaient les pages avant de le rendre à Kathryn.

— Veuillez excuser mon indiscrétion, mais êtes-vous réellement allée dans tous ces pays ?

— Oui, bien qu'il me semble que cela remonte à une éternité.

— J'aimerais en visiter juste un, un jour, dit rêveusement l'employée. Mais comment se fait-il, alors que vous avez parcouru le monde, que vous vous retrouviez à Ash Grove à bord d'un vieux pick-up qui...

Comme Jennie toussotait avec insistance, l'employée rougit.

— Désolée. Ça ne me regarde pas.

— C'est normal que ça vous intrigue..., concéda Kathryn.

Elle entreprit de ranger ses possessions dans son sac.

— Disons que c'est une sorte d'aventure, termina-t-elle.

— Je vois, dit l'employée qui manifestement ne voyait rien du tout. Si vous voulez terminer de remplir le formulaire...

Ce que fit Kathryn d'une main assurée. Ensuite, elle tendit le stylo à Jonah.

— Pour le meilleur et pour le pire, murmura-t-elle. Sans oublier les quinze pour cent !

Jonah hésita quelques instants, le stylo arrêté au-dessus du document. A la question « nom après mariage », elle avait indiqué : Kathryn Mae Clarke. C'était net et précis ; l'idée de changer de nom ne semblait lui poser aucun problème.

Etait-elle prête à changer aussi radicalement de vie ? se demanda-t-il. Ou bien s'agissait-il, comme elle l'avait dit tout à l'heure, d'une aventure sans lendemain ?

Au retour du palais de justice, Kathryn s'installa dans la balancelle, les pieds appuyés sur le rebord, les genoux serrés dans ses bras.

— Qu'allons-nous faire jusqu'à vendredi ?

Elle regretta immédiatement sa question.

Deux personnes de sexe opposé qui partagent le même lit ne se posent généralement pas cette question. Cependant, à sa grande surprise, Jonah ne releva pas. Pour tout dire, elle se sentit même déçue qu'il n'ait pas saisi l'occasion. C'était pourtant beaucoup mieux ainsi puisque, de toute façon, elle l'aurait repoussé.

Enfin… probablement…

— Examinons nos finances. Entre l'hôtel et le paiement des droits, d'ici à la fin de la semaine nous pourrions bien nous retrouver à sec.

— Dommage que nous ne puissions utiliser le chèque que j'ai trouvé dans mon sac tout à l'heure ! Mon père a dû l'y glisser pour me faire une surprise. Mais comme il est libellé à nos noms conjoints à Douglas et moi…

Jonah l'interrompit soudain.

— Je continue à penser que tu devrais appeler ton père, Katie.

Elle le dévisagea avec irritation.

— Tu voudrais peut-être que je l'invite au mariage ? Pourquoi aller au-devant des ennuis ? Ce sera déjà bien assez terrible quand il apprendra la nouvelle.

— La nouvelle que tu as épousé le fils du jardinier, c'est ça ?

Kathryn le dévisagea, ébahie.

— Fils de jardinier ou multimilliardaire, je doute qu'il apprécie que j'épouse qui que ce soit en ce moment. Il s'imaginera que tu as profité

356

de mon désespoir pour me mettre le grappin dessus.

— Est-ce le cas ?

— Bien sûr que non ! Mais tu ne peux espérer que papa comprenne nos raisons.

— *Tes* raisons, veux-tu dire. Epouser un coureur de dot pour éviter d'être courtisée pour ton argent… Normal que Jock ait un peu de mal à suivre ton raisonnement.

— Possible. Pourtant, bien que ton raisonnement soit plus aisé à suivre, ne t'attends pas qu'il l'accepte avec joie.

— Maintenant que tu le dis, je vois mal Jock Campbell me féliciter d'avoir négocié un marché comprenant quinze pour cent des parts de Katie Mae's Kitchens…

— C'est pourquoi il doit tout ignorer. S'il pensait avoir la moindre chance d'empêcher ce mariage, il fondrait sur nous comme un vautour sur sa proie…

A ce moment, la porte du bureau de l'hôtel s'ouvrit et Jennie sortit, poussant un chariot chargé de draps, de serviettes et de tout un attirail de nettoyage.

— Je vais faire votre chambre, annonça-t-elle.

Je pense en avoir pour une heure environ. Je ne me déplace plus aussi facilement qu'avant.

Kathryn et Jonah échangèrent un regard horrifié en comprenant que Jennie ne disposait pas de personnel et que, si elle limitait le nombre de ses clients, c'était tout simplement parce qu'elle n'avait pas la force d'assumer le ménage de toutes les chambres.

— Rentrez, Jennie, dit Kathryn, et laissez le chariot dehors. Quand j'aurai terminé le nettoyage de notre chambre, je procéderai à celui des autres. Faites-moi une liste, pour que je n'oublie rien.

Jennie protesta énergiquement, mais, lorsque Jonah menaça de la porter jusqu'à son bureau, elle capitula. Il lui maintint la porte ouverte et, quand elle fut rentrée, se tourna vers Kathryn qu'il dévisagea d'un air circonspect.

— Je plaisantais en disant que tu devrais frotter les parquets pour gagner notre pain.

— Heureusement, parce que je n'accepterai pas un sou de Jennie ! Tu t'imagines sans doute que parce que j'ai des domestiques je ne sais rien faire de mes dix doigts ?

— Je suis sûr que tu réussis tout ce que tu entreprends, Katie.

— Mon père répète sans cesse qu'on ne doit pas rater une occasion d'apprendre, car ça peut toujours servir. Et puis, je ne peux pas rentrer chez moi sans un métier en main.

— Jock ne te mettrait pas à la porte.

Elle lui jeta un rapide regard.

— S'il faisait ça, ce serait pour manque de jugeote, pas parce que j'épouse le fils du jardinier.

— Dans l'idée de Jock, ça ne doit pas faire grande différence. Est-ce pour cette raison que tu m'épouses, Katie ?

— Tu veux dire que j'épouserais un être prétendument fruste dans le seul but d'humilier mon père ? Non, Jonah, ça n'a rien à voir avec lui. Et je ne te catalogue pas comme « fils du jardinier ». Il y a quelque chose en toi...

Oui, il y avait quelque chose de particulier en lui, même si Kathryn n'arrivait pas à définir ce qui le rendait si différent à ses yeux. Une certaine assurance, peut-être. Et puis cette aura de bonté qui lui donnait un sentiment de réconfort et de sécurité...

Près de la porte de leur chambre, ils découvrirent le chaton — qui se révéla être une femelle — installé sous un rosier buisson. Les assiettes de lait et de pâtée avaient été soigneusement nettoyées et la petite bête se pourléchait d'un air satisfait. Cependant, en les voyant, elle s'interrompit dans sa tâche et poussa un miaulement plaintif.

— Petit escroc ! s'exclama Kathryn. Tu n'as certainement plus faim après tout ce que tu viens de dévorer ! D'ailleurs ton ventre est tout rond !

Jonah s'accroupit et tendit la main.

— Viens là, petit escroc.

La chatte sortit de sous le rosier et posa une patte quémandeuse sur son poignet.

— C'est le comble ! s'exclama Kathryn. Je la nourris, mais c'est vers toi qu'elle va. Décidément, tu plais aux dames, Jonah. Mais trop, c'est trop !

D'un geste prompt, Jonah saisit la chatte par la peau du cou et la tendit à Kathryn.

— Prends-la.

Kathryn considéra les quatre pattes munies de griffes aiguës, toutes sorties.

— Sans façon ! J'attendrai que tu l'aies complètement apprivoisée.

— Tu es compliquée, dit-il d'un air sombre. D'abord tu t'offenses de ce qu'elle me préfère et, l'instant d'après, tu cherches à tirer parti de mes talents.

Quand il reposa la chatte, Kathryn s'attendit qu'elle coure se réfugier sous le rosier. Au lieu de ça, elle s'éloigna de quelques pas d'un air indigné, s'assit au beau milieu de l'allée et entreprit de se lécher.

— Je ne dois pas avoir le charme que tu me prêtes, fit remarquer Jonah. Elle se lave pour éliminer mon odeur.

Kathryn eut un reniflement de mépris.

— Ça te ferait du bien si toutes les femmes sur lesquelles tu exerces ton charme réagissaient de même !

— En prenant des bains publics ? C'est ça qui ferait scandale !

— Tu sais très bien ce que je veux dire.

Soudain, Kathryn fronça les sourcils comme si un souvenir remontait du fond de sa mémoire.

— N'as-tu pas possédé un gros chat noir avec le ventre blanc ?

— Si. Il s'appelait Smoking parce qu'il avait une tache blanche autour du cou qui lui dessinait une sorte de cravate. Pourquoi ?

— Je me souviens que tu m'as permis de le caresser, une fois.

Il ne répondit rien. Perdue dans ses souvenirs, Kathryn ne s'en aperçut pas tout de suite. Elle se força à rire.

— Je dois te paraître bêtement sentimentale. C'est drôle de se souvenir d'un détail aussi anodin. Je devais avoir cinq ou six ans.

— Tu avais six ans ; tu venais de perdre ta première dent. Et ce n'était pas un détail anodin pour toi à l'époque.

Elle ouvrit de grands yeux.

— Parce que tu t'en souviens ?

— Bien sûr ! Te rencontrer représentait un véritable événement. Même avant la menace d'enlèvement, tu n'avais pas le droit de parler aux enfants vivant sur la propriété. Ensuite, avec ton cortège de nurses et de gardes du corps, nous n'aurions pas pu t'approcher, même si nous l'avions voulu.

— Et vous ne le vouliez pas. Personne ne m'aimait. Oh ! je ne me plains pas, c'est une simple constatation !

— Personne ne te connaissait assez pour te détester, Katie. Seulement, mets-toi à notre place. Tu étais la petite princesse, toujours fraîche, nette, bien coiffée, parfaite en tout. Ton allure ne donnait guère envie de jouer avec toi, sans parler du fait qu'on nous menaçait des pires châtiments si nous essayions.

— On exigeait que vous restiez à l'écart ?

— Dans mon cas, c'était inutile. J'avais six ans de plus que toi et je serais mort de honte d'être surpris en train de jouer avec une petite fille !

— N'empêche que tu m'as laissée caresser ton chat.

— C'est vrai. Tu m'as regardé avec tes immenses yeux bleus et tu m'as dit d'une voix tremblant de convoitise que tu n'avais jamais possédé de chat.

— Et ça t'a ému…

— Bien sûr. Ça me rend toujours malade de penser que tu n'avais même pas le droit de courir dans l'herbe ! Je suppose que, ce jour-là, on t'a amèrement reproché les poils de chat sur tes vêtements.

Kathryn parut inquiète.

— T'a-t-on grondé à cause de moi ?

— Non. Ils ont probablement supposé que le chat se promenait dans les parages. Un prétexte de plus pour raccourcir ta laisse. Et toi, silencieux petit sphinx, tu n'as pas soufflé mot. Dis donc, Katie, il faudrait nous mettre au ménage, sinon Jennie va nous virer et nous obtiendrons le record de la plus brève durée d'emploi !

— Tu n'es pas obligé de m'aider. C'est moi qui me suis engagée vis-à-vis d'elle.

— Quelle est la philosophie de Jock, déjà ? Il ne faut jamais laisser passer une occasion d'apprendre…

Même sans arthrite pour compliquer les choses, Kathryn comprit bientôt pourquoi Jennie limitait le nombre de clients de son hôtel. Quand le ménage des six chambres fut achevé, elle était en sueur, son dos lui faisait mal et ses mains la démangeaient d'avoir porté des gants de caoutchouc. Cependant, en contemplant leur ouvrage depuis le seuil de la dernière chambre, elle éprouva un vif sentiment de satisfaction.

— C'est plus gratifiant que mon travail chez Katie Mae, constata-t-elle. Là-bas, je m'occupe surtout de paperasses. A propos, ne crois-tu pas que nous devrions mettre par écrit les termes de notre accord ?

Il releva la tête de l'aspirateur dont il rangeait les différents accessoires et la considéra pensivement.

— Seulement si tu crains que je ne te donne

pas la moitié de mes possessions terrestres. Voyons…

Il se mit à compter sur ses doigts.

— La moitié d'une épave te revient donc, et puis la moitié d'une voiture en réparation dans un garage du Minnesota, mais seulement si tu acceptes de payer la moitié de la facture. Et tu auras aussi…

— Ne sois pas ridicule, Jonah !

— Tu ne veux pas payer la moitié de la réparation ? En théorie, j'accepte d'en payer la totalité. Quant à la contravention, je ne l'aurais pas eue si je ne t'avais accompagnée dans ta fuite.

Avec un soupir exaspéré, elle demanda :

— Je suppose que tu veux aussi que je paie la moitié de l'amende ?

— C'est déjà fait, puisque le paiement a été effectué sur nos fonds communs.

Elle sourit, bien qu'avec réticence.

— Bon. Je paierai aussi la réparation, même si les feux arrière étaient destinés à tomber de toute façon en panne. Maintenant, si nous passions aux choses sérieuses ? Tu sais très bien que je faisais allusion aux quinze pour cent des parts de Katie Mae ! Je suis prête à rédiger un contrat, si tu veux.

Il la regarda pensivement.

— Tu tiens à voir ton père métamorphosé en dragon crachant le feu ?

— Ça ne le regarde pas.

— S'il découvre que c'était la condition du mariage, ça le regardera vite. Non, il vaut mieux laisser les choses en l'état. D'autant que, comme nous n'avons pas les moyens de payer un avocat, ce papier ne serait pas valable.

— Tu as sans doute raison…

Sur ces entrefaites, on frappa à la porte et Jennie passa la tête dans la pièce.

— Navrée de vous déranger. Je voulais savoir où vous en étiez.

— Nous avons presque terminé, répondit Kathryn.

Elle ôta ses gants et rassembla draps et serviettes dans le compartiment réservé à cet usage.

— Voilà. Je ne comprends pas comment vous vous en sortez, Jennie.

— Petit à petit, les choses avancent ; lentement, certes, mais elles avancent quand même. Néanmoins, je vous suis infiniment reconnaissante du repos que vous m'avez permis de prendre. Je venais vous demander si vous vouliez partager notre dîner, à Sam et moi. Et ensuite, peut-être serez-vous tentés par une partie de Scrabble...

Le ragoût était délicieux, la salade croquante à souhait et le pain fait maison odorant. Kathryn se montra sincère en affirmant à Jennie que c'était son meilleur repas depuis longtemps. En revanche, Jennie et Sam, des as du Scrabble, battirent à plate couture Jonah et Kathryn qui jetèrent leurs dernières lettres en riant.

— Je n'imaginais pas que tu puisses te trouver à court de mots, Katie, reprocha plaisamment Jonah.

— Ce serait plus facile si tu ne te montrais pas aussi inventif en matière d'orthographe ! riposta Kathryn.

Elle se leva et suivit Jennie dans la cuisine pour l'aider à rapporter dessert et café.

— Y a-t-il une laverie automatique à Ash Grove ? s'enquit-elle pendant que le café passait. Nous allons bientôt manquer de vêtements propres.

— Ma machine est à votre disposition, voyons ! A propos de vêtements... Que porterez-vous pour votre mariage, mon petit ?

Kathryn n'avait pas réfléchi à la question.

— Un jean, je suppose. Je n'ai guère le choix.

Jennie eut un claquement de langue réprobateur.

— Quel dommage pour un si beau jour !

— Vous savez, je serai tout aussi mariée, quelle que soit ma tenue vestimentaire.

— C'est une façon raisonnable d'envisager les choses.

Cependant, Kathryn ne se sentait pas raisonnable. Elle ne pouvait songer sans regret à la somptueuse robe de satin et dentelle abandonnée dans sa salle de bains. Non qu'elle ait une seconde envisagé de porter cette robe qui lui rappellerait le plus beau jour de sa vie.

« Le plus beau jour de sa vie » ? Quel drôle de lapsus ! Elle voulait dire le pire jour de sa vie, bien sûr. Celui où elle avait découvert la perfidie de son fiancé et pris conscience qu'elle ne pouvait compter sur son père avant de fuir en pleine panique pour tomber sur Jonah...

Evidemment, tomber sur Jonah n'était pas la pire chose qui lui soit arrivée. C'était même la meilleure.

D'un air absent, elle s'empara du plateau sur lequel s'empilaient assiettes à dessert et tasses avant de suivre Jennie dans la salle de séjour située derrière le bureau.

— Je dois également repeindre l'enseigne, disait Sam, mais mon médecin m'interdit de monter sur une échelle. Je me demande si vous trouveriez le temps…

— Sam ! l'interrompit sévèrement Jennie. Jonah en a déjà bien assez fait pour nous sans que tu le persuades de monter sur une échelle au risque de se rompre le cou !

— J'en parlais comme ça, en passant.

— Je repeindrai l'enseigne avec plaisir, Sam, dit gentiment Jonah.

D'autres que lui auraient accepté, bien sûr, mais avec l'impression d'avoir été dupés. Jonah, lui, n'éprouvait rien de tel. Elle ne se trompait pas quelques instants plus tôt ; le jour où elle était tombée sur Jonah avait vraiment été son jour de chance. A moins qu'il ne soit survenu un peu plus tard, c'est-à-dire non quand elle était tombée *sur* Jonah, mais quand elle était tombée *amoureuse de lui*…

# 8.

L'idée d'être tombée amoureuse, qui ne figurait pas du tout dans ses plans, bouleversa Kathryn. La personnalité de Jonah n'entrait pas en ligne de compte ; c'était le fait en soi qui la mettait mal à l'aise.

Quelques années plus tôt, elle s'était rendu compte que, pour une jeune femme dans sa position, aimer n'avait pas de sens. S'attacher la rendrait trop vulnérable en donnant l'occasion à l'homme qui partagerait sa vie de se servir d'elle.

Et le désastre Douglas était venu à point nommé pour renforcer son point de vue. Etant donné le tour pris par les événements, seul son amour-propre avait souffert. En parvenant à garder la tête froide, elle était restée capable de voir ses défauts et ses manques. Ainsi, en le perçant à jour, elle avait pu prendre sans tergiverser les décisions qui s'imposaient. Par contre, si elle avait eu la faiblesse de s'éprendre de lui, elle aurait écouté ses explications, cru en ses promesses, pardonné et sans doute même trouvé des excuses à son comportement. Et, selon toute vraisemblance, le mariage aurait eu lieu.

L'idée la fit frissonner.

Non, elle ne pouvait se permettre un tel aveuglement. La seule attitude raisonnable consistait à construire une existence basée sur le bon sens et la logique, plutôt que sur cette émotion irrationnelle baptisée amour.

Et il se trouvait justement, pensa-t-elle avec un brusque soulagement, que c'était ainsi qu'elle avait agi. La proposition faite à Jonah représentait une offre sensée acceptée par celui-ci avec un détachement égal au sien. En réalité, elle n'avait aucune raison de s'appesantir sur ses sentiments. Ils étaient postérieurs à des décisions prises en toute connaissance de cause et ne remettaient donc pas en question les termes de leur contrat. En outre, elle pouvait fort bien s'imaginer l'aimer simplement parce que, depuis plusieurs jours maintenant, il était son unique soutien. Dès que sa vie reprendrait son cours normal, elle se détacherait de lui et tout redeviendrait comme avant.

Elle poussa un long soupir et, au même moment, s'aperçut que Jonah la dévisageait avec insistance.

— A moins que tu n'aies des projets dont tu ne m'aurais pas parlé…

— J'ignore de quoi tu parles, avoua-t-elle.

— De repeindre l'enseigne, expliqua-t-il patiemment. Avais-tu prévu quelque chose pour demain ?

Elle fit signe que non. Il lui jeta un regard étrange avant de se tourner vers Sam.

— Eh bien, si le temps le permet, considérez que c'est une affaire réglée !

Il repoussa sa chaise et se leva.

— Katie me semble un peu fatiguée. Il est temps que nous nous retirions.

Kathryn n'avait même pas remarqué que pendant qu'elle réfléchissait, les autres terminaient leur dessert. Machinalement, elle remercia et salua leurs hôtes, puis, sa main dans celle de Jonah, ils regagnèrent leur chambre.

— Qu'est-ce qui t'arrive ? demanda ce dernier.

Durant un bref instant, elle se demanda quelle

serait sa réaction si elle lui annonçait tout à trac la nouvelle. Sans doute prendrait-il ses jambes à son cou et s'enfuirait-il en hurlant, tout aussi horrifié qu'elle. Ils se plaisaient dans leur mutuelle compagnie, mais de là à se retrouver unis par des liens amoureux… L'idée ne risquait pas de l'enthousiasmer, pas plus qu'elle n'enchantait Kathryn. En tout cas, elle ne faisait pas partie du contrat.

— Je suis juste un peu fatiguée. Je ne sais pas comment Jennie tient le coup.

— Repeindre l'enseigne ne prendra pas long-temps. Ensuite, je t'aiderai.

Un miaulement plaintif les accueillit.

— Tu as du culot de demander où nous sommes allés ! dit Kathryn à la chatte. Quand je t'ai cherchée tout à l'heure, tu te cachais je ne sais où !

Jonah poussa la porte de leur chambre.

— Deux nuits de suite dans le même lieu, constata-t-elle. Attention, Jonah, nous prenons des habitudes !

— C'est vrai qu'on se sentirait vite chez soi, surtout avec un animal familier. Allons, va te coucher Katie ; je vais nourrir la chatte.

Elle le regarda remplir l'assiette puis sortir.

Après être passée à la salle de bains, elle se mit au lit. Un peu plus tard, Jonah rentra silencieusement dans la pièce. Elle feignit de dormir tandis qu'il se couchait à son tour, non sans avoir auparavant confortablement installé son oreiller. Très vite, sa respiration se régularisa ; alors, elle ouvrit les yeux pour le regarder.

C'était idiot, bien sûr. Il ne s'agissait que de Jonah, qu'elle avait aperçu tant de fois au cours des jours écoulés… Que pourrait-elle voir à présent qu'elle n'avait déjà vu ?

Dans la pénombre ambiante, son visage, tout en reliefs et ombres, évoquait une peinture abstraite. Cependant, la réaction de Kathryn ne ressemblait en rien au plaisir qu'on tire de la contemplation d'une œuvre d'art, si belle soit-elle. Il lui semblait tout à coup beaucoup moins familier, en même temps qu'une tendresse inattendue la submergeait.

Jamais encore elle n'avait éprouvé un sentiment comparable au douloureux besoin qui la consumait à présent, besoin de protéger, de soutenir et de chérir.

En ouvrant les yeux, elle s'était attendue à retrouver le visage d'un ami, d'un allié et d'un partenaire. Au lieu de cela, elle découvrait celui d'un être qui représentait pour elle tout l'univers et pour lequel elle sacrifierait volontiers sa vie.

Finalement, un grand calme se fit en elle. A quoi bon s'aveugler ? Elle aimait Jonah Clarke d'un indéfectible amour. Si elle avait senti venir le danger, elle aurait sans doute pu réagir ; cependant, comme une vigne livrée à elle-même incruste ses rameaux dans le treillage qui la supporte jusqu'à ce qu'il devienne impossible de l'en déloger, son amour pour Jonah s'était insinué dans son cœur, trop profondément pour qu'elle songe à s'en débarrasser.

Vues sous cet angle, elle comprenait mieux certaines de ses réactions. Pas étonnant, par exemple, qu'elle se soit montrée si nerveuse en proposant à Jonah de rester à Ash Grove en attendant de se marier. En réalité, elle mourait de peur à l'idée que, mis au pied du mur, Jonah se rende compte qu'il ne tenait pas à l'épouser malgré leur contrat.

A présent, elle reconnaissait que, en dépit de ses affirmations, la sécurité d'un mariage de raison n'était pas la véritable motivation de sa décision. Ce qu'elle voulait, c'était Jonah, et uniquement Jonah. Et, pour l'obtenir, elle était allée jusqu'à se mentir à elle-même.

Et Jonah, toujours prêt à venir en aide aux plus faibles, qu'il s'agisse d'un misérable chaton, d'un vieux couple infirme ou, pensa-t-elle avec amertume, d'une riche héritière en difficulté, était tombé dans les mailles du filet.

Epouser un homme intéressé pour éviter d'être la proie d'un requin… Jonah avait raison, ça ne tenait pas debout. Par quelle tortueuse gymnastique de l'esprit était-elle passée pour concevoir un plan aussi peu crédible ?

Très vite, elle avait senti au fond de son cœur qu'elle voulait Jonah, et pour toujours. Aussi s'était-elle fabriqué une histoire acceptable pour la partie logique de son cerveau, celle qui lui refusait de tomber amoureuse.

Ensuite, convaincue d'agir raisonnablement, elle avait fait son offre et il l'avait acceptée.

Et maintenant, qu'allait-il se passer ?

Avec un léger ronflement, Jonah glissa un bras autour d'elle et la serra contre lui. D'abord, Kathryn se raidit puis, comme il ne bougeait plus, elle s'autorisa à savourer la sécurité de son étreinte.

Après tout, pensa-t-elle, pourquoi se torturer davantage ? La solution s'imposerait d'elle-même, tout comme la révélation de son amour.

Jonah ne se trouvait plus dans le lit quand elle s'éveilla le lendemain. Il avait dû décider de se mettre au travail de bonne heure, avant que la grosse chaleur ne s'abatte. Quoi qu'il en soit, elle fut soulagée de ne pas avoir à l'affronter car la nuit ne lui avait pas porté conseil.

Sans doute serait-il préférable de lui annoncer que, tout compte fait, elle ne voulait plus l'épouser. Mais elle savait aussi que Jonah n'accepterait qu'une excuse valable. « Quand j'ai pris une décision, je m'y tiens », avait-il dit. Avec une telle philosophie, il ne comprendrait pas qu'elle revienne sur une décision si importante par simple caprice. Or, elle ne tenait pas à lui dévoiler ses sentiments. Qu'ils se marient ou non, avouer la vérité la mettrait vis-à-vis de Jonah dans une position de faiblesse. Tant qu'il ignorerait sa folie, elle n'aurait pas à en redouter les conséquences.

Non, décidément, elle devait garder la vérité pour elle.

Bien sûr, il existait d'autres arguments à avancer pour expliquer son revirement, mais elle s'était si bien acharnée à les détruire qu'il serait peu crédible de s'en resservir maintenant.

378

Au point où elle en était arrivée, plus Kathryn réfléchissait, moins elle voyait d'issue.

Avec l'espoir que l'exercice physique distrairait suffisamment son esprit pour laisser son subconscient s'attaquer au problème, elle s'habilla et alla chercher le chariot de nettoyage au bureau.

Perché au sommet d'une échelle calée contre la façade de l'immeuble, torse nu, le pinceau à la main, Jonah s'étirait pour enduire soigneusement de peinture blanche l'extrémité supérieure de l'enseigne.

Si Kathryn entretenait encore l'espoir que sa révélation de la veille n'était qu'un leurre, elle fut anéantie par sa réaction à la vue de Jonah. Un nouvel élan de tendresse la porta vers lui, mêlé cette fois à une autre émotion qu'elle ne pouvait qualifier autrement que de désir.

« Quelle idiote de n'avoir pas prévu ce nouvel aléa ! » se dit-elle, encore qu'elle sût très bien pourquoi. Ces derniers temps, elle s'était efforcée de se convaincre que son attirance pour Jonah n'avait rien d'extraordinaire. Une jeune femme en bonne santé, envisageant de se marier, ne choisit évidemment pas un homme qui lui déplaît. Cependant, elle demeurait persuadée que d'autres auraient pu la séduire autant que

Jonah. A présent seulement, elle comprenait à quel point elle se trompait...

Comment avait-elle pu faire l'impasse sur son désir quand elle fondait sous ses baisers ? Et pourquoi, dans l'état où elle se trouvait, n'avait-elle pas jeté toute prudence aux orties et fait l'amour avec lui ?

« Parce que tu avais peur », lui répondit une petite voix intérieure. Pas peur d'être déçue par l'expérience, bien sûr, mais peur que cette intimité partagée avec lui ne l'incite à révéler son amour. Sa retenue n'était qu'une façon de plus de nier ses sentiments. Aussi longtemps qu'elle ne connaîtrait pas l'ivresse sexuelle dans les bras de Jonah, elle continuerait de se bercer de l'illusion qu'elle l'épousait uniquement par raison.

Jonah reposa son pinceau, et, son seau à la main, descendit de l'échelle.

— Bonjour. As-tu bien dormi ?

Se serait-elle agitée ? se demanda-t-elle. Ou, pis encore, aurait-elle parlé dans son sommeil ?

— Oui, je crois. Pourquoi ? T'ai-je dérangé ?

— Mais non ! C'était une question de pure forme. Tu sais, Jennie nous observe de l'inté-

380

rieur. Je crois qu'elle guette une démonstration de tendresse.

Kathryn essaya de rester naturelle tandis qu'il passait un bras autour de ses épaules et l'embrassait sur les lèvres. Il s'y attarda, les goûtant comme si elles étaient en sucre d'orge, et Kathryn sentit sa température grimper. Le seul moyen de rompre la spirale du désir consistait à se souvenir que, bien qu'il semblât l'apprécier, il lui donnait ce baiser pour des raisons bien particulières.

— Et nous devons satisfaire Jennie, murmura-t-elle contre ses lèvres.

Il leva la tête.

— Oui. Parce qu'elle a préparé de la limonade et que je meurs de soif !

Kathryn le repoussa. En riant, il la laissa aller. Dès qu'elle se fut éloignée de lui, elle eut la sensation qu'un froid intense l'envahissait.

— Serais-tu assez gentille pour aller m'en chercher un verre pendant que je déplace l'échelle ? lui demanda-t-il.

Tout ce qu'il attendait d'elle, c'était de la gentillesse, pensa avec rancœur Kathryn. Quand ils vivraient ensemble, il faudrait qu'elle se fasse à cette dure réalité.

Ce ne fut qu'après lui avoir apporté sa limonade, lorsqu'elle s'éloigna avec le chariot, qu'elle comprit la portée de cette remarque. Sa décision était donc prise ? Se trouvait-elle d'ores et déjà déterminée à obtenir Jonah à n'importe quel prix ?

Jonah replaça l'échelle de manière à atteindre l'extrémité du portique et grimpa. Cependant, il n'avait pas l'esprit au travail. Kathryn semblait avoir réfléchi. Son recul au moment où il l'embrassait était nouveau et il ne le croyait pas lié au fait d'être observée.

« T'ai-je dérangé ? » avait-elle demandé d'un ton naïf. Ne se rendait-elle donc pas compte de l'effet qu'elle produisait sur lui ? L'idée ne lui avait jamais traversé l'esprit qu'il devenait fou de la tenir la nuit dans ses bras sans autre espoir qu'un occasionnel baiser ?

C'était probablement une erreur de lui avoir laissé du temps pour réfléchir. Bien sûr, le simple bon sens lui dictait de préciser qu'il voulait une épouse consentante. Mais, pour tout dire, il lui avait été beaucoup plus facile de se montrer grand seigneur vis-à-vis de ses choix *avant* qu'elle ne semble reconsidérer sa décision.

Jennie et Sam réitérèrent leur invitation à dîner, et, à la fin du repas, les battirent une nouvelle fois au Scrabble.

— Vous êtes distraits parce que vous êtes préoccupés par les préparatifs de votre mariage, dit gentiment Jennie.

« Quels préparatifs ? » pensa Kathryn. Ils s'étaient entretenus avec le juge et avaient pris rendez-vous pour le vendredi matin. Que leur restait-il à faire ?

Quelle différence avec la frénésie qui entourait le mariage qu'elle avait fui ! Pas de toilette somptueuse ni de voile à ajuster, pas d'Antoine pour essayer une dizaine de coiffures, pas de membres du service d'ordre ni de demoiselles d'honneur dont il fallait s'occuper, pas de bagues à essayer, ni de menu final à approuver...

Elle se demanda fugitivement si tous ces préparatifs ne servaient pas précisément à empêcher la future mariée de réfléchir.

Après qu'ils eurent souhaité bonne nuit à Sam et Jennie, Kathryn prit machinalement la direction de leur chambre quand Jonah s'arrêta.

— Je crois que je vais aller marcher un peu.

— Ça t'ennuie si je t'accompagne ?

Il marqua une légère hésitation.

Kathryn ouvrait la bouche pour dire qu'elle s'était finalement ravisée quand il répondit :

— Ça ne me dérange pas du tout.

Il marcha le long du trottoir, mains dans les poches. Près de lui, Kathryn préférait ne pas se demander pourquoi il n'avait même pas essayé de lui prendre la main.

Devant le supermarché ils trouvèrent un distributeur de journaux.

— Regarde ! s'exclama-t-elle. C'est nous en première page ! J'aimerais avoir un exemplaire, pas toi ?

De sa poche, Jonah retira une poignée de pièces qu'il lui tendit.

— Je préfère ce souvenir à ta peinture du Bout du monde.

Kathryn lui fit une grimace.

La photographie de leur accident occupait la une de *La Gazette d'Ash Grove*. On voyait surtout le pick-up accidenté ; Kathryn dut chercher pour trouver son portrait.

— Et l'employée du tribunal qui prétendait que j'étais plus ressemblante là-dessus que sur mon passeport ! fit-elle remarquer, étonnée.

Jonah regarda par-dessus son épaule.

— Tu as le teint un peu jaune, sur cette photo, mais ce doit être la lumière. Veux-tu partager un sachet de graines de tournesol ?

— Non, merci.

Elle s'adossa à un pylône pour feuilleter le journal tandis qu'il entrait au supermarché effectuer son achat. Il en ressortit en compagnie de Larry Benson qui serra cordialement la main de Kathryn en s'exclamant :

— Quels petits cachottiers vous faites !

Kathryn coula un bref regard en direction de Jonah qui se contenta de hausser les épaules.

— A quoi faites-vous allusion ?

— A vos projets de mariage.

— Je suppose qu'il ne fallait pas espérer que la nouvelle resterait secrète…

— Pas à Ash Grove ! Non que vous soyez le sujet de bavardages. J'ai été mis au courant par le directeur du journal qui a découvert vos démarches en passant au palais de justice chercher les documents à publier.

— A publier ? répéta faiblement Kathryn.

Son regard tomba sur le journal qu'elle tenait à la main. Au fond, ça n'avait pas vraiment d'importance ; il existait très peu de risques que Jock Campbell tombe sur *La Gazette d'Ash Grove* et y lise le compte rendu des publications de mariage.

— Le directeur était contrarié de n'avoir pas su à temps. Il voudrait rédiger un papier.

— Pas question ! répliqua Kathryn.

— Naturellement, répondit en même temps Jonah.

Le regard de Larry Benson alla de l'un à l'autre.

— Eh bien, mettez-vous d'accord. Et si je puis vous aider en quoi que ce soit, faites-le-moi simplement savoir.

— A part nous procurer un quelconque véhicule pour nous enfuir, je ne vois pas ce qu'il pourrait faire, murmura Kathryn tandis qu'ils regagnaient l'hôtel. Oh ! Jonah, qu'allons-nous devenir ? Nous n'avons plus un sou. Finalement, tu vas peut-être devoir travailler à la station-service.

Il marcha quelques instants en silence tout en mâchonnant une graine de tournesol.

— Es-tu si pressée de quitter Ash Grove ?

— C'est-à-dire... je préférerais ne pas voir, minute après minute, la description de notre lune de miel s'étaler à la une de *La Gazette d'Ash Grove*...

— Il y a peut-être une solution…, dit-il en tirant une nouvelle graine du sachet.

— Laquelle ?

— Je t'en ferai part si elle marche.

— Je croyais que nous devions tout partager ! Argent, informations…

— Es-tu sûre de tout partager avec moi ?

Consciente de conserver elle-même des secrets beaucoup plus graves, Kathryn se mordit la lèvre sans répondre. Il ne restait plus qu'à espérer qu'il ne l'avait pas percée à jour.

A la porte de leur chambre, Jonah s'arrêta.

— Bonsoir, Katie Mae. Je vais m'asseoir un moment sur les marches pour finir mon tournesol.

Lorsqu'elle ouvrit la porte, une bouffée d'air chaud et stagnant l'accueillit.

— Nous avons oublié de brancher la climatisation…, dit-elle en revenant s'asseoir près de lui.

Le ciel était limpide et les lumières de la petite ville pas assez intenses pour concurrencer celle des étoiles. Kathryn entoura ses genoux de ses bras.

— Je regrette de n'avoir pas appris les noms des constellations quand j'étais enfant.

— A quoi t'occupais-tu ?

— J'avais un emploi du temps très strict. Jonah, comment est-ce de grandir sans nurses et sans gardes du corps ? Je veux dire, tu étais également prisonnier sur la propriété. D'une façon différente, bien sûr, mais…

— N'oublie pas la porte dérobée…

— Quel âge avais-tu quand tu l'as découverte ?

— Huit ou neuf ans. C'était peu de temps après notre emménagement.

— C'est curieux, je n'ai jamais entendu parler de ta mère.

— Elle est morte un an avant notre arrivée.

— C'est terrible, murmura Kathryn. Tu as tout perdu en même temps. Ta mère, ta maison, tes amis…

— Je ne m'en suis pas si mal sorti. La possibilité de me balader à travers la campagne m'a beaucoup aidé.

Il mâchonna en silence une graine avant de reprendre :

— Tiens-tu toujours à te marier, Katie Mae ?

Elle hésita. L'occasion était trop belle, d'autant

que l'expression de Jonah prouvait qu'il doutait de la réponse.

« Dis-le-lui ! » s'intima-t-elle. « Dis-lui que tu ne peux pas l'épouser. »

Cependant, une rebelle petite voix intérieure voulut connaître les raisons de cette impossibilité. Qu'y avait-il soudain de si différent ? Seule son appréhension de la situation avait changé. Qu'elle n'ait pas eu conscience du problème deux jours plus tôt ne prouvait pas qu'il n'existait pas déjà.

Et maintenant, elle se trouvait à la croisée des chemins.

Impossible d'avouer qu'elle était tombée amoureuse de lui, bien malgré elle ! Cela aboutirait au pire pour tous les deux. Jonah n'aurait pas les parts qu'elle lui avait promises, et elle n'aurait pas Jonah.

En revanche, si elle gardait son secret, chacun obtiendrait alors son dû. Elle y gagnerait même bien davantage puisque, aussi longtemps qu'elle tairait son amour, elle garderait l'homme qu'elle aimait.

Cruel dilemme…

— Oui, dit-elle en étirant ses jambes, je tiens

à me marier. J'y tiens par-dessus tout. Es-tu prêt à rentrer ?

— Je crois que je vais rester encore un peu dehors.

Elle demeura quelques instants immobile, le cœur battant, avant de faire remarquer :

— J'ai l'impression que ça t'aurait arrangé que je revienne sur ma décision…

— C'est faux… Ecoute, Katie, je n'en peux plus. Te tenir contre moi toutes les nuits sans pouvoir… c'est une véritable torture. Mais si tu es sûre de toi…

— Qu'est-ce qui te fait douter ?

— Tes actes et tes paroles ne s'accordent pas très bien.

— Tu aimerais que je change d'attitude…

Doucement, sa main se posa sur l'épaule de Jonah puis remonta caresser sa nuque.

— Katie…, dit-il d'une voix étranglée, tu ferais mieux d'y réfléchir à deux fois.

Elle approcha ses lèvres des siennes.

— Jusqu'à présent, je n'ai que trop réfléchi. Maintenant, il est temps d'agir…

# 9.

Kathryn remarqua que sa main tremblait, non de crainte mais de fiévreuse anticipation. Il lui semblait avoir attendu cet instant toute sa vie...

Oui, avant même de connaître Jonah, elle attendait, persuadée qu'il existait de par le monde un être qui lui était destiné. Mais elle s'était lassée pour finalement décider de vivre avec Douglas. Même alors, cependant, la pensée rôdait, insistante, que Douglas ne lui suffirait jamais et qu'elle avait tort de ne pas continuer à attendre son prince charmant. Comment, sinon, expliquer la facilité avec laquelle elle avait cru le pire concernant son fiancé ? Même Jonah estimait à juste titre qu'elle ne lui avait pas laissé une chance.

Bien sûr, elle savait qu'elle avait raison. Il ne régnait pas l'ombre d'un doute dans son esprit :

Douglas était bien le joueur et le coureur de dot que décrivait son ami. Et si elle avait eu besoin d'une confirmation, la petite phrase rapportée par son père : « Nous avons tous les deux commis des erreurs » aurait suffi amplement.

Cependant, cette confirmation était venue après coup. En réalité, elle ne lui avait pas donné la possibilité de se justifier avant de disparaître. L'idée ne lui avait même pas traversé l'esprit d'envoyer chercher Douglas plutôt que son père pour lui parler de la conversation qu'elle venait de surprendre.

Elle s'était persuadée qu'elle ne voulait même pas entendre d'excuses ou d'explications qui, elle le savait par avance, ne la convaincraient pas. Mais ce n'était pas totalement exact. Pour tout dire, elle s'était jetée sur les paroles de l'inconnu comme on attrape une bouée de sauvetage, parce que, inconsciemment, elle savait déjà qu'elle ne voulait pas de ce mariage. Pas à cause de Douglas, sa personnalité n'était pas en cause, mais parce que quelque chose en elle se révoltait à l'idée de renoncer à l'homme de sa vie.

Elle caressa la joue de Jonah et le contact râpeux de sa barbe naissante lui rappela qu'il s'agissait d'un personnage indiscutablement réel, pas d'un prince imaginaire, parfait mais stéréotypé.

Toute la passion qu'elle contenait depuis si longtemps s'exprima lorsqu'elle l'embrassa. Avec un gémissement, Jonah la pressa contre lui comme s'il désirait qu'ils ne fassent plus qu'un, et Kathryn s'abandonna sans retenue à son étreinte.

Bien avant qu'elle soit prête à interrompre leur baiser, il la lâcha. Elle allait protester lorsqu'il se baissa pour la soulever dans ses bras, poussa la porte du pied et l'emporta dans la chambre.

— Tu disais que tu ne me ferais franchir le seuil dans tes bras que le jour de notre mariage, murmura-t-elle d'une voix étranglée.

— Passer devant le juge n'est qu'une formalité, Katie, répliqua-t-il d'un ton aussi mal assuré.

Bientôt, il ne resta plus de place pour la moindre pensée rationnelle ou les phrases bien constituées. Rien n'existait, hormis le murmure d'amoureux qui se découvrent et tendent vers l'accomplissement ultime de leur union pour sombrer ensuite dans un bienheureux épuisement.

**\***

Le soleil était déjà haut lorsque Jonah s'éveilla. Quand il s'arracha à l'étreinte de Kathryn, elle émit une vague protestation, mais, comme elle semblait profondément endormie, il douta qu'elle se soit vraiment rendu compte de son départ. Avec un sourire, il ramena le drap sur elle avant de sortir pour se rendre à la cabine téléphonique.

Il lui fallut déployer beaucoup de charme pour persuader la secrétaire de Brian de lui passer ce dernier sans décliner son identité. Enfin, il eut au bout du fil un Brian très énervé.

— Qu'est-ce qui te prend de disparaître comme ça ?

— Nous sommes jeudi, Brian, répondit sereinement Jonah. Lundi soir, tu prétendais que personne ne s'était aperçu de mon absence.

— Eh bien, ce n'est plus le cas ! Je suis harcelé par des gens qui te cherchent, les yeux injectés de sang.

— Qui par exemple ?

— Je résumerai par catégorie, si ça ne te fait rien, parce que je serai mort de vieillesse avant d'avoir récité toute la liste !

— Je suppose que Hodges s'est manifesté.

— Il est très inquiet.

— Un peu d'incertitude lui fera du bien. Ecoute, Brian, il faut que tu m'aides.

Brian devait prendre des notes car il s'écoula une bonne minute avant qu'il ne réponde.

— Tu veux la lune, c'est ça ?

— Tu as deviné. Mais inutile de me la servir sur un plateau d'argent.

Kathryn devait déjà en posséder des dizaines…

Brian poussa un gémissement étouffé.

— Bon sang, Jonah, quand vas-tu te décider à rentrer ?

— Hodges met donc une telle pression sur toi ?

— Tu pensais que je plaisantais ? Si tu pouvais revenir aujourd'hui…

— Impossible. J'ai rendez-vous au tribunal demain matin.

— Une histoire d'excès de vitesse, je suppose. Ne peux-tu simplement payer l'amende ?

— Je crains que ce jugement n'engage ma vie de façon beaucoup plus radicale. Allons, calme-toi, Brian. C'est une blague ! Je rentrerai dès que possible.

Comme Jonah se détournait pour s'appuyer de

l'épaule au montant de la cabine, il vit Kathryn se diriger vers lui.

— Entre-temps, essaie de les faire patienter, mon vieux. Je compte sur toi.

Il reposa le combiné, mais demeura immobile, examinant la jeune femme, de ses cheveux artistement ébouriffés à ses jambes qu'il trouvait navrant de dissimuler sous un jean. Dommage que les maris n'aient plus le droit d'exercer leurs prérogatives ; il édicterait immédiatement une loi obligeant Kathryn à ne porter que des jupes ! Quoique, en y réfléchissant, il donnerait ainsi l'occasion aux autres hommes de jouir du charmant spectacle.

— C'était Brian ? demanda-t-elle en le rejoignant. Qui est-il censé faire patienter ? Si c'est mon père…

— Il n'a pas parlé de Jock.

Probablement parce que tu ne lui en as pas laissé l'opportunité, Clarke, ajouta-t-il *in petto*.

— Ma disparition commence à agacer mes patrons, reprit Jonah.

— Ils n'ont pas pu prendre au sérieux l'histoire de la partie de pêche, dit Kathryn d'un air sombre. Ne te fais pas de souci pour ta place,

Jonah. Si tu la perds, on te trouvera bien quelque chose chez Katie Mae's Kitchens.

— Sauf si Jock te met à la porte ; dans ce cas, tu auras du mal à plaider ma cause, souligna Jonah.

— Si cela arrive, nous partirons pour une plage lointaine où nous réfléchirons à la suite à donner aux événements. Il ne nous reste plus qu'une nuit à tenir, Jonah.

Lorsqu'il la vit rosir en prenant conscience de l'ambiguïté de son propos, il murmura de sa voix la plus lascive :

— Pour ça, j'ai toute une panoplie de stratégies à mettre en œuvre, ma chérie.


Kathryn terminait le nettoyage des chambres quand elle tomba sur Jennie qui venait à sa rencontre le long du couloir.

— Pourriez-vous venir une minute, Kathryn ? Je voudrais profiter de ce que Sam et Jonah sont partis à la quincaillerie pour vous montrer quelque chose.

Kathryn posa son chiffon à poussière sur le chariot, se débarrassa du foulard qu'elle nouait autour de ses cheveux pour les protéger et suivit

Jennie. Elles traversèrent la salle de séjour pour gagner un étroit couloir qui les mena à une chambre que Kathryn n'avait pas encore vue. Celle de Jennie, vraisemblablement. Elle était décorée de kilts multicolores et de… robes de mariée.

Kathryn n'en croyait pas ses yeux. Suspendues à la porte de la penderie, à la tringle à rideaux et au miroir de la coiffeuse, étalées sur le lit, posées sur des dossiers de chaises, la plupart blanches, d'autres crème, une rose pâle, une bonne douzaine de robes de mariée envahissaient la pièce. Certaines étaient simples, d'autres surchargées de rubans et de dentelle ; certaines arrivaient au mollet, d'autres au sol et l'une d'elles possédait une traîne qui occupait la moitié du tapis.

— Vous comptez ouvrir une boutique ? demanda Kathryn, stupéfaite.

— Vous sembliez si déçue de vous marier en jean ! dit Jennie. Je pensais vous proposer la robe que je portais pour mon mariage quand je me suis dit : « Et si elle ne l'aimait pas et se sentait obligée de la porter quand même ? Ce serait tellement dommage. » Alors, j'ai fait passer le mot à mes amies et les robes ont afflué. C'est bien le genre de notre ville, vous savez.

Kathryn ne put retenir ses larmes.

— Oh ! Jennie…

— Considérez que c'est le cadeau des habitants d'Ash Grove. Et maintenant, laquelle aimeriez-vous essayer en premier ? Pressez-vous un peu, car il faudra du temps pour effectuer les retouches.

— Mais… croyez-vous qu'elles accepteront que nous modifiions…

— Ecoutez, dit Jennie avec un sourire, leurs propriétaires en ont fini avec ces robes, n'est-ce pas ?

Les larmes aux yeux, Kathryn fit le tour de la pièce, s'arrêtant devant chaque robe. Finalement, elle tendit le doigt vers l'une d'elles.

— Celle-ci, dit-elle en désignant un fourreau ivoire mi-long, aux manches bouffantes et au corsage rehaussé d'un drapé de dentelle.

Jennie aida Kathryn à passer la robe par-dessus sa tête et la regarda tourner devant le miroir pour s'étudier sous tous les angles tout en tapotant le tissu.

— Elle est parfaite, murmura la jeune femme.

Et soudain, dans le miroir, elle croisa le regard intense de Jennie.

— Vous n'approuvez pas mon choix ?

— Oh si ! murmura la brave femme. C'est ma robe, ajouta-t-elle en souriant d'un air attendri.

Kathryn l'étreignit en prenant garde à ne pas froisser la robe.

— Vous auriez dû faire confiance à votre premier jugement. Vous vous êtes donné tant de mal pour rassembler toutes ces toilettes…

— Vous voir choisir en valait la peine ! Maintenant, il vous faut des chaussures. Voyons, avec un peu de chance…

Jonah et Sam, revenus de la quincaillerie, bricolaient devant l'hôtel quand Kathryn fit son apparition avec le chariot de nettoyage. Elle croisa le regard de Jonah qui lui sourit et sentit battre follement son cœur.

Il s'approcha.

— Je t'ai rapporté un petit cadeau, dit-il en lui tendant un petit sac de papier.

En découvrant à l'intérieur un appareil photo jetable, Kathryn poussa un cri de ravissement.

400

— Le magasin n'offrait pas beaucoup de choix, dit-il sur un ton d'excuse. S'il ne te convient pas pour le mariage, tu pourras toujours prendre des photos souvenirs du chat.

— Il me convient très bien ! Et à propos du chat, j'avais justement l'intention de t'en parler.

— Je ne suis pas sûr d'avoir envie d'entendre.

— Nous ne pouvons pas l'abandonner, Jonah ! Je sais que c'est compliqué, mais…

— Tu imagines la pauvre bête sur les routes… Sûrement que Jennie…

— Jennie a bien assez à faire sans s'encombrer d'un chat !

— Nous ne sommes même pas sûrs d'arriver à l'attraper. Et puis, c'est un animal d'extérieur ; elle ne supportera jamais d'être enfermée.

Kathryn en convenait. Elle ne s'en mordit pas moins la lèvre d'un air désolé, ce que voyant, Jonah soupira.

— Quand tu me regardes comme ça, Katie Mae, j'ai l'impression que tu as six ans et qu'il s'agit de Smoking. Très bien. J'essaierai de trouver une solution.

Elle se jeta à son cou.

— J'en étais sûre !

— J'ai dit que *j'essaierai*, Katie ! lui rappela-t-il.

Sur ces entrefaites, comme une voiture arrivait, il poussa le chariot hors du passage. Avec désinvolture, la conductrice se gara à cheval sur deux places et descendit. C'était une élégante jeune femme que Kathryn avait déjà aperçue en ville et qui portait un sac arborant le logo d'un luxueux magasin de Chicago. Quand elle s'approcha, Kathryn lui trouva un air vaguement familier ; quelques secondes plus tard, elle reconnut la conductrice de la Cadillac ayant causé leur accident.

Kathryn lui tendit la main.

— C'est gentil de venir prendre des nouvelles, dit-elle. Nous allons bien. J'espère que, pour votre part, vous n'avez pas gardé trace du choc.

Le regard de la jeune femme alla du chariot de nettoyage au foulard de Kathryn en passant par la chemise qui appartenait à Sam. Son examen terminé, elle arbora une expression dédaigneuse et ignora la main tendue.

— Je viens juste apporter ce sac à Jennie. Je ne vois pas en quoi je vous devrais des excuses.

— Bien sûr, vous niez votre responsabilité

dans l'accident, murmura Kathryn. Votre avocat doit être fier de vous.

— Quel malheur d'en être réduite à faire des ménages pour s'assurer un toit ! reprit l'arrivante. Enfin, à en juger par l'état de votre véhicule, vous devez avoir l'habitude. Où est Jennie ? Je me demande bien pourquoi elle réclame une paire de chaussures à talons hauts alors qu'elle arrive à peine à marcher !

— J'espère que ce ne sont pas les vôtres, dit Kathryn, bien déterminée à se marier pieds nus plutôt que d'accepter le moindre service de l'odieuse créature.

— Elles appartiennent à ma mère qui en possède des dizaines et des dizaines de paires. C'est drôle, j'ai l'impression d'avoir déjà vu votre visage… dans un magazine, peut-être…

Kathryn blêmit en se rappelant l'article qui relatait sa fugue. Ash Grove n'était pas totalement coupé du monde, et cette femme paraissait du genre à s'intéresser aux disparitions de riches héritières…

Soudain, la jeune femme se rendit compte que la visiteuse ne s'adressait plus à elle, mais à Jonah, qu'elle détaillait d'un regard singulièrement adouci. Sans aucune vergogne, elle essayait son charme sur lui… Fallait-il en rire ou en pleurer ? se demanda Kathryn, exaspérée.

— On me le dit souvent, expliqua Jonah. C'est peut-être parce que les célébrités ne se soucient plus guère de s'habiller avec recherche ou de passer régulièrement chez le coiffeur. Je ne leur ressemble pas, vous savez. Ce sont elles qui me ressemblent !

Un rire en cascade jaillit de la gorge de la jeune femme.

— J'aime qu'un homme ait une haute opinion de lui-même, roucoula-t-elle.

— Parce qu'elle s'accorde à celle que vous avez de vous-même ? demanda perfidement Kathryn. Si vous voulez, je porterai ce sac à Jennie. Je dois de toute façon aller au bureau.

La femme le lui tendit sans même lui accorder un coup d'œil, trop occupée à couver amoureusement Jonah du regard pour le perdre de vue un instant.

Kathryn s'éclipsa avec soulagement. Elle rangea le chariot dans son placard puis se dirigea vers la salle de séjour.

— Les chaussures de Madame sont avancées ! annonça-t-elle à Jennie qui travaillait sur un kilt. Cependant, étant donné le genre du livreur, je ferais mieux de m'assurer qu'elles ne sont pas tapissées d'éclats de verre.

— Tes griffes sont encore plus aiguisées que celles de la chatte ! s'exclama Jonah, du seuil de la pièce.

Kathryn rougit.

— Je suis habituellement plus mesurée, mais cette femme m'a porté sur les nerfs. Je suis surprise qu'elle n'ait pas essayé de t'entraîner chez elle !

— Oh ! elle a essayé ! Mais comme je lui ai expliqué que tu ne saurais vivre sans moi, elle propose gentiment de t'engager comme femme de chambre.

Kathryn lui adressa une grimace.

— Tu veux réfléchir, c'est ça ? reprit Jonah. J'ai promis d'aller lui porter la réponse.

Kathryn lui jeta les chaussures à la tête. Il les rattrapa habilement et les lui renvoya.

— Quand les enfants s'énervent, c'est qu'il est temps de les mettre au lit, dit doctement Jennie. Allez donc vous reposer…

Elle leur adressa un doux sourire avant de se remettre à son ouvrage.

\*
\*\*

Le matin du mariage de Kathryn se leva sur un temps clair et chaud. Comment imaginer que, moins d'une semaine plus tôt, elle s'était éveillée pour un autre mariage ? se demandait la jeune femme. Un mariage bien différent, en vérité. Rien n'était pareil, hormis la fiancée.

D'ailleurs, ce n'était pas tout à fait exact car Kathryn se sentait différente de la jeune femme qui rongeait son frein devant le miroir pendant qu'Antoine la coiffait.

Ce matin, sa seule crainte était d'arriver en retard au rendez-vous avec le juge. Jonah ne semblait pas d'humeur à se presser ; quant à Kathryn, le moindre geste lui paraissait prendre deux fois plus de temps qu'à l'accoutumée. Même l'eau de la douche se réchauffait plus lentement que d'habitude…

— Pour gagner du temps, prenons notre douche ensemble, suggéra Jonah.

— Nous gagnerons du temps seulement si nous nous douchons tout habillés ! repartit Kathryn.

— Tu as l'esprit terriblement mal tourné, Katie Mae ! Je proposais juste…

Kathryn lui ferma la porte de la salle de bains au nez.

Quand ce fut au tour de Jonah de prendre possession des lieux, elle se dépêcha de se sécher les cheveux, prit sa trousse de maquillage et griffonna une note à son intention :

« Rejoins-moi au bureau. Jennie propose de m'aider à me préparer. »

Jennie l'attendait avec la robe ivoire fraîchement repassée. Elle avait même retrouvé l'impertinent petit chapeau qui complétait la tenue. Il lui fallut un peu de temps pour l'ajuster, mais le résultat en valait la peine, constata Kathryn en se regardant dans le miroir.

A en juger par le long soupir qu'il poussa et qui remplaçait tous les compliments du monde, Jonah sembla partager également ce point de vue lorsqu'il les rejoignit peu après.

— Arrêtez de vous regarder comme ça ! dit Sam avec impatience. Je n'ai pas envie de rouler comme un fou jusqu'au palais de justice. Ce ne serait pas convenable.

— Laisse donc Jonah conduire, suggéra Jennie. Il en est parfaitement capable.

— Pour qu'il nous jette au fossé parce qu'il regardera Kathryn au lieu de la route, merci bien ! Non que je le lui reproche, d'ailleurs. Allons, dépêchons !

L'odeur de poussière et de vieux livres du palais de justice avait laissé la place à des arômes de viande cuite au feu de bois et de cannelle qui rappelèrent à Kathryn que, dans sa précipitation, elle avait oublié de déjeuner.

— Il y a donc une cafétéria ? demanda-t-elle à Jennie.

Cette dernière secoua la tête.

— Ce sont les dames du comité des fêtes qui ont décidé d'organiser une réception. Et comme aucun procès n'est en cours, elles ont pu utiliser la grande salle du tribunal.

— Vous étiez au courant ?

Jennie sourit.

— Pas vraiment.

L'employée, celle-là même qui leur avait fait remplir les papiers, descendit l'escalier quatre à quatre. Devant son air contrarié, un pressentiment étreignit le cœur de Kathryn.

— Le juge vient d'appeler, expliqua-t-elle, hors d'haleine. Il est retenu dans le comté voisin pour une affaire urgente. Il risque d'être en retard.

— Dire que j'avais peur de ne pas arriver à l'heure ! murmura Kathryn.

Puis tout haut :

— Je me doutais bien qu'il y aurait un empê-
chement. Le contraire eût été anormal…

Elle se tourna vers le maire, arrivé en même
temps qu'eux.

— Monsieur Benson, pourriez-vous…

Il secoua la tête.

— Je regrette. Je ne suis pas autorisé à procéder
aux mariages.

— Puisque rien dans ce mariage n'est à sa
place, intervint Jonah, pourquoi ne pas passer
tout de suite à la réception ?

— Bonne idée ! s'exclama joyeusement le
maire. Qui veut du champagne ?

On sut que le juge était arrivé à des détails
tels que la baisse du niveau des décibels et la
soudaine discrétion des porteurs de coupes de
champagne.

— Bonjour à tous ! dit un petit homme rond
dont la robe noire bruissait à chaque pas.

Son regard erra sur la foule et s'arrêta sur
Jonah et Kathryn.

— Passons donc aux choses sérieuses. Et
quand ce sera terminé, ajouta-t-il en se tournant
vers le maire, vous me servirez un verre de ce…
hum… jus de fruits que vous buvez tous.

— Ce sera avec plaisir, monsieur le juge, répondit Larry Benson.

Jonah consulta sa montre puis jeta un coup d'œil dans la rue par la fenêtre. Après quoi, il prit la main de Kathryn et suivit le juge en se demandant à quoi pouvait être dû ce contretemps…

La main de Kathryn reposait, minuscule et froide, dans celle de Jonah. A présent que le grand moment était arrivé, la jeune femme ne pouvait nier sa nervosité. Son père avait peut-être raison, après tout ; au dernier moment, toutes les futures épouses sont anxieuses. Pourtant, si elle entretenait de vrais doutes, elle ne serait pas ici en ce moment. Puisque aucun des obstacles rencontrés au cours de la semaine ne l'avait détournée de son but, ce ne seraient sûrement pas des angoisses de dernière minute qui y parviendraient.

— Allons, approchez ! dit le juge, élevant la voix.

Au début, le brouhaha de l'assistance qui se regroupait couvrit le remue-ménage qui se produisit dans l'entrée. Cependant, quand tout le monde fut installé, Kathryn entendit distinctement un bruit de pas pressés qui montaient l'escalier.

— Qui est-ce ? demanda-t-elle d'une voix étranglée.

Jennie, debout près d'elle, regarda vers la porte et dit calmement :

— Je suppose que c'est votre père, mon petit.

— Mais… mais… comment savez-vous ?

— Tout le monde en ville est au courant de sa venue, répondit le maire.

— Ne vous imaginez surtout pas que l'un d'entre nous a vendu la mèche, assura Jennie. Nous trouvions la situation trop romantique pour cela…

— Mais si personne ne nous a dénoncés, dit Kathryn dans un souffle, comment nous a-t-il trouvés ?

Elle se tourna vers Jonah. Son regard était serein, l'étreinte de sa main ferme, mais il garda un silence buté.

Les doubles portes de la salle d'audience s'ouvrirent sous une violente poussée et Jock Campbell fit son apparition, comme à son habitude accompagné d'une escorte. Kathryn examina avec anxiété le groupe et constata avec soulagement que Douglas n'y figurait pas.

Jock s'éclaircit la voix.

— Eh bien, Kathryn, il semble que j'arrive à temps. Désolé de m'être fait attendre, Jonah, mais vous avez omis de me signaler les difficultés de transport entre l'aéroport et ici. Avez-vous une idée de la distance à parcourir, mon garçon ?

# 10.

Le palais de justice se serait-il effondré sur elle que Kathryn n'aurait pas été plus choquée. Elle leva sur Jonah un regard incrédule.

— Tu as prévenu mon père ?

— Oui. Mais les choses ne se sont pas tout à fait passées comme prévu.

— Je m'en doute, répliqua-t-elle sèchement. Le juge n'était pas censé avoir du retard. Alors, quel était ton plan, Jonah ? Jock faisant irruption dans la salle, juste un tout petit peu trop tard pour empêcher le mariage de sa fille avec le fils du jardinier, et toi, jubilant devant sa rage impuissante ?

Le visage de Jonah se crispa comme sous l'effet d'une gifle.

Bien qu'ayant conscience de la bassesse de l'attaque, Kathryn, dans son désarroi, ne parvenait pas à se contenir.

413

— Le prévenir après coup n'aurait pas eu le même effet, n'est-ce pas ? Cela n'aurait pas été aussi satisfaisant que de le mettre devant le fait accompli !

Jonah demeurait silencieux. Le fait qu'il ne prenne même pas la peine de se justifier blessait encore plus profondément Kathryn. On aurait dit qu'il se moquait éperdument de l'opinion qu'elle pouvait avoir de lui.

— Tu m'as menti, Jonah ! Tous ces coups de téléphone adressés à un prétendu Brian, c'était à mon père que tu les passais. Tes patrons qui s'agaçaient, quelle vaste blague !

— Je ne t'ai pas menti, Kathryn, dit-il d'un ton égal. Brian existe et nous travaillons bien ensemble. En fait, il est là-bas.

A demi aveuglée par la colère, elle suivit du regard la direction indiquée par Jonah et découvrit un jeune homme debout près de Jock. Contrairement aux membres de l'entourage de ce dernier qui, tous vêtus de costumes bleu foncé assortis de cravates discrètes, donnaient l'impression de porter un uniforme, Brian portait simplement un pantalon de toile marron et une chemise de denim.

— S'il travaille avec toi, que fabrique-t-il avec

mon père ? demanda-t-elle d'un ton chargé de suspicion.

— Etant donné que je n'ai pas convié Brian à venir, j'ignore comment ils ont fini par faire équipe.

— Il a peut-être servi d'intermédiaire entre Jock et toi ?

Jonah secoua la tête.

— Laisse Brian en dehors de tout ceci. C'est moi qui ai prévenu ton père.

Une sorte de nausée saisit Kathryn ; il éprouvait le besoin de défendre son ami, mais pas lui. Les pensées tourbillonnaient dans son cerveau. C'était complètement insensé ! Si Jonah voulait humilier Jock, pourquoi ne pas avoir attendu la célébration du mariage et le retour du voyage de noces ? Après une semaine de passion partagée, Kathryn imaginait sans difficulté l'état de bienheureuse béatitude dans lequel elle serait rentrée à la maison, et son absolu refus d'entendre prononcer un mot contre son cher époux.

Bien sûr, cette revanche n'aurait pas eu le même impact qu'une rencontre explosive au pied de l'autel… Mais Jonah aurait-il pris le risque de voir arriver son père à temps pour interrompre la cérémonie, comme cela venait justement de se produire ? Impossible d'imaginer qu'il n'ait pas envisagé cette possibilité, lui qui, tout au long de leur fuite, avait fait preuve d'un sens aigu de la stratégie. Et s'il ne s'agissait pas de prendre une revanche sur Jock, de quoi s'agissait-il ?

Peut-être Jonah voulait-il justement que Jock empêche le mariage ? Kathryn secoua la tête. C'était tout aussi absurde, car personne, et elle moins que quiconque, n'avait braqué un fusil dans son dos pour l'obliger à se rendre à l'autel !

En jouant des coudes à travers la foule, Jock parvint finalement jusqu'à eux. Sans un mot ni un sourire, Kathryn lui tendit sa joue.

— Bonjour, ma chérie. Je ne suis toujours pas le bienvenu, à ce que je constate !

Il l'embrassa légèrement.

— Peut-être seras-tu contente d'apprendre que Douglas est désormais interdit de séjour chez les Campbell et qu'il a quitté les locaux de Katie Mae's Kitchens entre deux policiers.

— Il détournait aussi des fonds, en plus du reste, dit Kathryn avec indifférence.

Les sourcils de Jock se haussèrent ; il jeta un coup d'œil à Jonah comme pour lui demander si elle était vraiment aussi dure et inflexible qu'il y paraissait.

— Il n'en était qu'à ses débuts. Il estimait sans doute plus judicieux d'éviter cette pratique avant d'être vraiment sûr de toi. Quoi qu'il en soit, je te dois des excuses, ma chérie, et des remerciements pour cette mise en garde survenue en temps opportun.

— Je les accepte.

— Bon, alors maintenant que voilà ta sagacité reconnue, est-il vraiment nécessaire de rester dans le mélodrame ?

Le terme résumait sans doute assez bien les aléas des derniers jours, songea Kathryn. Encore maintenant, elle se sentait dans la peau de la misérable jeune femme ligotée sur les rails et qui entend approcher le train sans qu'apparaisse le moindre héros.

Mais pourquoi Jock avait-il choisi ce terme ? Comment aurait-il eu connaissance des événements des derniers jours ?

Comme s'il était besoin de demander…, se dit-elle amèrement.

— Quoi qu'il en soit, poursuivit Jock en se tournant vers Jonah, merci d'avoir pris soin d'elle et de l'avoir empêchée d'agir en dépit du bon sens. Je suis désolé que vous n'ayez pas pu me joindre lundi soir, mais ça ne se serait pas produit si vous ne m'aviez égaré par vos subterfuges ! expliqua-t-il en riant. C'était très habile de laisser des indices dans des stations-service où vous étiez sûr d'être entendu. Je me trouvais dans l'avion quand vous avez téléphoné. Le temps que mon équipe comprenne l'importance de votre appel et me prévienne, vous aviez raccroché.

Kathryn réfléchissait à toute vitesse. Lundi soir… Après qu'elle eut suggéré qu'ils restent à Ash Grove, mais avant d'avoir obtenu la licence de mariage, Jonah avait téléphoné à son père. Dans l'impossibilité de le joindre, il avait gardé secrète sa tentative et, pour qu'elle se tienne tranquille, feint de continuer à vouloir l'épouser. Le tout d'une façon très convaincante, pensa-t-elle misérablement, se remémorant la fébrilité avec laquelle il cherchait son passeport…

— Je suis étonnée que tu aies mis tant de temps à arriver, dit-elle froidement.

— Je n'ai découvert que plus tard le lieu de votre cachette.

Avec un hochement de tête, Jock accepta la coupe de champagne que lui tendait le maire.

— Jonah ne voulait pas me divulguer l'information sans savoir dans quel état d'esprit je me trouvais et si je n'allais pas lancer la police à ses trousses sous inculpation d'enlèvement, reprit-il. Et comme je ne pouvais le joindre, nous avons communiqué par l'intermédiaire de mon récepteur de messages électroniques. Il a fallu du temps pour peaufiner les détails, mais, une fois que j'ai su que tu allais bien, Kathryn, je n'avais plus qu'une idée en tête : arriver avant la célébration du mariage.

— Encore faudrait-il que mariage il y ait…

Ces mots arrachèrent un murmure à la foule qui les entourait.

— Kathryn, dit Jock d'un ton de reproche, tu ne vas tout de même pas en faire une habitude…

— C'est toi-même qui disais qu'il faudrait renoncer au mélodrame.

— Je le pense toujours. Je venais juste m'assurer que tu n'agissais pas inconsidérément…

« Si tu voulais me dissuader de coucher avec lui, désolée, papa, tu arrives trop tard… », eut-elle envie de lui répondre.

— Par exemple que tu n'épousais pas Jonah uniquement par colère contre moi, continua Jock. Ç'aurait été un très mauvais départ. Mais quand je suis entré et que j'ai vu la façon dont vous vous teniez la main…

A ce moment, Kathryn remarqua que sa main était toujours blottie dans celle de Jonah. Elle la lui retira précipitamment et eut soudain l'impression que la température de la salle chutait abruptement.

— Tu ne pouvais faire meilleur choix, dit encore Jock.

— Ah bon ? lança sèchement Kathryn.

Elle leva les yeux sur Jonah.

— Désolée pour les quinze pour cent de Katie Mae que tu escomptais ; tu vas devoir apprendre à t'en passer. Mais je ne me fais aucun souci : un homme doté d'un cerveau aussi performant devrait pouvoir s'en sortir !

Elle jeta un coup d'œil à son père, en se demandant si ce petit détail modifierait son opinion sur le jeune homme. Mais, après avoir failli avaler de travers sa gorgée de champagne, c'est sur elle que Jock fixa un regard éberlué.

— Au nom de quoi, grand Dieu, Jonah voudrait-il ces quinze pour cent ?

Kathryn le dévisagea sans comprendre.

— Je veux dire… enfin, chérie, il pourrait sans difficulté racheter nos parts à tous les deux !

De sa poche, Jock tira un objet d'une taille comprise entre téléphone cellulaire et télécommande.

— Je suppose, Jonah, bien que cela ne me regarde pas, que ce gadget que j'apprécie tant vous a déjà rapporté un bon pactole.

— Pas à moi directement, rectifia Jonah.

— Etant donné que la compagnie vous appartient, ça revient sensiblement au même. L'entrée d'une firme électronique dans la famille apportera une diversification agréable de nos activités, Kathryn.

« Le plus grand génie électronique de tous les temps », lui avait-elle dit en manière de plaisanterie. Et ce serait… vrai ?

Derrière Kathryn, le juge toussota.

— Je serais d'avis que vous poursuiviez cette discussion en privé. Si vous voulez bien me suivre jusqu'à mon cabinet…

Comme Jock faisait mine de lui emboîter le pas, le magistrat l'arrêta d'un regard.

— Les futurs mariés seulement.

Bien qu'elle ne vît pas l'utilité d'une explication avec Jonah, Kathryn reconnaissait l'indécence de ce déballage de linge sale devant tous ces gens qui les avaient si chaleureusement accueillis.

Le cabinet du juge était particulièrement exigu : un bureau et deux chaises y tenaient tout juste. Il referma la porte sur le brouhaha des voix en provenance de la salle.

— Je vous donne une demi-heure, dit-il fermement. Pour votre tranquillité d'esprit, je suggère que vous parveniez à un accord. Si toutefois l'un de vous, ou les deux, souhaite quitter le palais, au bout de ce petit couloir il y a un escalier menant à une sortie de secours. Frappez à la porte de mon bureau au passage, je transmettrai la nouvelle.

Sur ces mots, il sortit.

— Bonne idée, commenta Kathryn d'une voix qui tremblait à peine. Emprunter la sortie de secours, je veux dire. Sauf qu'il faudra voler une voiture pour nous enfuir. Enfin... je veux dire deux voitures...

Elle croisa les bras contre sa poitrine comme pour se garantir du froid et dévisagea Jonah.

— Si tu ne veux pas m'épouser, il te suffit d'un mot...

— Tu n'as rien compris, Katie Mae.

— Ne m'appelle pas comme ça !

— Tu disais que je pouvais t'appeler comme je voulais...

— Oui, et toi tu prétendais que nous partagions tout ! Tu aurais pu me parler franchement, Jonah. Pas besoin d'en arriver à de pareilles extrémités pour revenir sur ta décision !

— Je n'ai pas téléphoné à ton père pour éviter le mariage.

— Ah bon ! Parce que tu veux toujours m'épouser ? demanda-t-elle d'un ton sarcastique. Quelle convaincante démonstration de cette volonté !

— Tu ne voulais pas lui parler, encore moins lui laisser une chance de s'excuser d'avoir douté de ton jugement sur Douglas ni le rassurer sur ta santé. C'est pourquoi je l'ai appelé. Je ne voulais pas que tu agisses sous le coup de la colère ou du désespoir.

Elle secoua la tête.

— Je ne te crois pas. Tu t'es moqué de moi toute la semaine. Tu as joué les agents secrets avec maîtrise. Quel comédien ! Dommage qu'il fasse trop chaud pour porter un imperméable, la tenue t'aurait particulièrement convenu !

— Je comprends ta colère, Kathryn.

L'utilisation formelle de son prénom glaça la jeune femme. Comme elle allait regretter le gentil compagnon qui taquinait sans merci sa

Katie Mae… Enfin, si toutefois il avait existé, car il n'était peut-être que le fruit de son imagination.

— Tu as un drôle d'aplomb ! s'exclama-t-elle. Prétendre être un ouvrier travaillant sur des chaînes de montage de composants électroniques !

— C'est toi qui as fait cette déduction. Je n'ai jamais rien dit de tel.

En y réfléchissant, elle convint qu'il avait raison. Mais le fait qu'il l'ait trompée, même sans mentir ouvertement, ne la consolait nullement.

— Tu aurais pu me dire que tu étais propriétaire de cette maudite compagnie ! Ah ! je comprends maintenant tes réticences à signer un contrat ; tu aurais été obligé de dévoiler toute la vérité ! A moins que tu ne te figures que j'étais au courant et que j'en voulais à ton argent ?

Elle agita la tête comme pour s'éclaircir les idées.

— Tout ça est si troublant… Je ne sais plus où j'en suis.

— J'aurais dû te parler de mes activités professionnelles, d'accord. Seulement tu étais tellement déterminée à n'épouser qu'un coureur de dot…

— Si bien que tu as décidé d'en devenir un pour me plaire ? Comme c'est flatteur !

— La vérité est que je craignais ta réaction au cas où je refuserais. Tu étais si remontée contre Douglas et ton père que tu étais prête à faire n'importe quoi. Les raisons que tu avançais sur l'avantage d'épouser un homme intéressé mais honnête étaient totalement illogiques, mais je sentais que tu avais fini par t'en persuader. Alors je me suis dit qu'il valait mieux que j'entre dans la peau du personnage. Tant que tu penserais que je correspondais au profil du candidat, tu serais satisfaite. Ainsi, tu aurais le temps de te calmer et de réfléchir avant de commettre l'irréparable.

— Tu voulais donc me protéger de moi-même ?

— Bien sûr ! Je t'ai demandé ce que tu ferais si je refusais, souviens-toi. Et tu m'as répondu que tu en chercherais un autre.

— Je n'aurais pas agi ainsi, Jonah.

— Tu n'as pas hésité longtemps avant de jeter ton dévolu sur moi, lui rappela-t-il.

— C'était différent.

— Pourquoi ? Parce que, en tant que fils du

jardinier, j'avais été dressé depuis l'enfance à ne jamais chercher à profiter de Mlle *Kathryn* ?

— Non !

L'angoisse nouait la gorge de Kathryn. Impossible pourtant de lui expliquer que, sans vouloir se l'avouer, elle avait tout de suite reconnu en lui l'âme sœur et lui avait fait sa folle proposition parce qu'elle était déjà amoureuse de lui.

— Je ne pouvais pas te laisser tomber. Dans l'esprit d'autodestruction où tu te trouvais, tu aurais fait une grosse bêtise.

— Alors, tu as appelé mon père, dit-elle avec amertume. Mais comme il n'était pas joignable, tu m'as bercée de faux espoirs en attendant son arrivée. J'ai eu droit à tout le cérémonial, n'est-ce pas, Jonah ? Une licence de mariage, un rendez-vous avec le juge...

Elle déglutit.

— Et même une nuit de noces...

Le silence s'étira avant que Jonah ne réplique :

— Je suis désolé si tu regrettes ce que nous avons partagé.

Elle ne put répondre. Du fond de son désespoir, elle savait que lorsque la souffrance cesserait, elle s'accrocherait à ces instants. Elle ne les chérirait peut-être pas, parce qu'on ne chérit que les moments heureux, mais elle enfermerait dans son cœur les souvenirs de cette brève période où l'homme qu'elle aimait avait été sien.

— Je suis désolé pour tout, ajouta Jonah en se dirigeant vers la porte. Souhaites-tu voir tout de suite ton père, ou as-tu besoin d'un peu de temps pour te reprendre ?

Kathryn le considéra avec étonnement.

— Tu ne vas pas t'éclipser par la sortie de secours ainsi que le suggérait le juge ?

La mâchoire de Jonah se contracta.

— Ce serait une lâcheté. L'un de nous doit s'excuser auprès de ces gens, mais je ne vois pas pourquoi ce serait toi. Tu n'es pas responsable de la situation.

— C'était mon idée.

— Ecoute, ce n'est plus le moment d'en discuter. Je m'occupe de tout, tu n'as pas à supporter ce poids en plus.

Sa main se trouvait sur le bouton de porte quand elle dit doucement :

— Voilà à quoi ça se résume, n'est-ce pas, Jonah ? Voilà à quoi tout se résume.

— Que veux-tu dire ?

— Tu te sens désolé pour moi d'avoir à affronter

toutes ces gentilles personnes que nous avons trahies. Mais ce n'est pas tout. Tu t'es toujours senti désolé pour moi, n'est-ce pas ? C'est pour cette raison que tu m'as laissée cajoler ton chat quand j'avais six ans. A tes yeux, j'ai toujours été la pauvre petite Katie, celle qui n'a pas d'amis, qui est incapable de se prendre en charge et qui a si peu d'estime pour elle-même qu'elle est prête à confier son destin au premier venu. C'est pour ça que tu m'as aidée à quitter la propriété et que tu as accepté de jouer avec l'idée du mariage !

Sa voix s'éleva d'un cran.

— Et c'est aussi parce que tu me plaignais du fond du cœur que tu as couché avec moi !

Elle l'entendit maugréer entre ses dents avant de se retourner et de revenir vers elle, les yeux brillant de colère. Du regard, Kathryn chercha en vain une issue. Précipitamment, elle se réfugia derrière le bureau.

— Oublie ce que j'ai dit, murmura-t-elle d'une voix qui tremblait.

Il s'arrêta à quelques centimètres d'elle.

— Tu penses vraiment que j'ai couché avec toi par pitié ?

Elle hocha la tête.

Jonah prit alors son visage dans ses mains.

Ses pouces se promenèrent sur ses tempes, ses joues, pour venir se poser sur ses lèvres dans une caresse aussi sensuelle qu'un baiser.

— Oui, dit-il doucement, au début, alors que tu errais sur la propriété de ton père comme un animal pris au piège, je t'ai prise en pitié. Et puis, quand tu m'as exposé tes projets, j'ai éprouvé de la colère et de l'inquiétude. Et finalement, j'ai ressenti… ça.

D'un mouvement rapide, Jonah contourna le bureau, la prit dans ses bras et l'embrassa avec une passion qui la laissa pantelante. Son chapeau bascula ; il le lui ôta pour glisser ses mains dans ses cheveux et la serrer plus fort contre lui.

Lorsqu'elle poussa un gémissement de plaisir, il la lâcha brusquement, croyant à une protestation. Elle s'appuya au bureau, luttant pour recouvrer son équilibre.

— Je te prie de m'excuser, murmura Jonah. Je n'avais pas l'intention de me conduire ainsi.

— Aucune importance. Ne te retarde pas davantage…

— Je ne t'ai pas convaincue ?

— Pas vraiment, mais ça n'a aucune importance. Je sais que tu as passé cette dernière semaine à maudire le hasard qui t'a fait choisir ce jour entre tous pour rendre visite à ton père.

— J'ai en effet maudit pas mal de choses ces derniers temps, reconnut-il, mais pas ce hasard. Si je n'avais pas été là, tu ne serais pas tombée sur moi, et rien de tout ceci ne serait arrivé.

— Justement, repartit-elle d'un ton acide.

Puis elle marqua une pause.

— Tu veux dire… Que veux-tu dire exactement ?

— Je ne considère pas avoir perdu ma semaine, si c'est ce que tu veux savoir. Oh ! chérie, pourquoi crois-tu que je me trouvais chez toi, ce jour-là ?

— Pour rendre visite à ton père.

— Pourquoi aurais-je choisi précisément le jour où il était en effervescence parce que chaque pétale de fleur, chaque brin d'herbe devaient être en place et où il devait assister à une réception à laquelle je n'étais pas convié ?

Elle hésita un instant.

— Je n'avais pas pensé à la somme de travail supplémentaire que lui donnait mon mariage. Mais tu aurais pu passer le dimanche avec lui.

— J'étais venu de Minneapolis le matin et projetais d'y retourner le soir même.

— Je ne comprends pas. Puisqu'il t'avait parlé du mariage…

— Il m'en a parlé, c'est vrai. En réalité, je n'étais pas venu assister à ton mariage, mais pour subir un électrochoc salutaire.

L'incompréhension la plus totale se lisait sur le visage de Kathryn.

— C'était le seul moyen, dit-il doucement, pour que j'accepte la réalité de ton mariage.

— En quoi cela t'importait-il ?

Il eut un sourire triste.

— En quoi, oui, alors que tu ignorais jusqu'à mon existence ? Eh bien, sache, ma chérie, qu'un soir — j'avais vingt-trois ans et me trouvais à la maison pour les vacances de Noël — je t'ai vue sortir de la propriété, assise à l'arrière de ta voiture, drapée dans une fourrure blanche avec tes cheveux répandus sur tes épaules. Et, pour la première fois, j'ai pris conscience que tu avais grandi.

— C'est ce qui arrive généralement aux petites filles…

— Tu étais l'égale d'une princesse de conte de fées, le rêve de tout jeune homme. Bien sûr, ajouta-t-il rêveusement, à partir de cet instant, tu es restée présente en moi, telle une minuscule écharde fichée dans mon cœur. La plupart du temps, tu ne me procurais qu'un léger inconfort, mais chacune de tes apparitions réveillait la souffrance. Bien des années plus tard, chaque fois que je te voyais, je redevenais le jeune homme qui admirait éperdument sa princesse.

Elle se frotta les tempes.

— Je ne comprends pas. N'as-tu jamais cherché à me parler, Jonah ?

— Bien sûr que non, répliqua-t-il, surpris. J'étais amoureux d'une image. Je n'aurais pas supporté de confronter mon amour à la réalité.

Le cœur de Kathryn se serra. Cependant, tout prenait sens, maintenant. Il n'avait jamais été amoureux d'elle, puisqu'il ne la connaissait pas ; il ne connaissait que la princesse de ses rêves.

— Beaucoup de femmes ont traversé ma vie, ajouta-t-il, mais aucune n'a trouvé grâce à mes yeux parce que aucune n'aurait pu se comparer à ma princesse.

— Ce n'est pas une bonne base de comparaison, Jonah.

— Tout en sachant que c'était stupide de continuer de penser à toi, je ne pouvais m'en empêcher. Et puis, un jour, mon père m'a appris que tu allais te marier. Alors, j'ai décidé de venir te faire mes adieux. Ça revenait à extirper l'écharde, tu comprends. Je savais que ça ferait mal et qu'il aurait été moins douloureux de l'ignorer encore un peu. Seulement, si je voulais que la plaie guérisse, il fallait tailler dans le vif. Je devais te voir mariée et heureuse pour pouvoir enfin envisager de m'attacher à une autre.

Kathryn soupira.

— Dire qu'au lieu de ça, tu es tombé sur une fugitive et as dû te métamorphoser en preux chevalier pour voler à mon secours.

— Au départ, c'était mon intention, répliqua-t-il d'une voix sèche.

— Je suppose que je devrais te remercier. Ou peut-être est-ce toi qui devrais me remercier. Parce que, une chose est certaine, Jonah : après une semaine passée avec moi, tu ne me vois certainement plus sous les traits d'une princesse.

Il sourit faiblement.

— Je n'ai pas mis longtemps à comprendre que tu n'étais pas exactement la femme de mes rêves…

Elle regretta brusquement d'avoir cherché à alléger l'atmosphère.

— Epargne-moi les détails, s'il te plaît !

Il parut ne pas entendre.

— Parce que, poursuivit-il doucement, la vraie Katie était tellement supérieure à ma princesse de conte de fées ! Cette fois, je n'étais pas tombé amoureux d'une image, mais d'une femme de chair et de sang.

Le souffle manqua brusquement à Kathryn, mais la prudence s'imposa tandis qu'elle se remémorait qu'il n'avait pas exactement agi en homme amoureux.

— Et ça t'a tellement effrayé que tu as appelé mon père à la rescousse.

— Ça m'a effrayé, je l'admets. Je craignais que cela fausse mon jugement quant à ce qui était le mieux pour toi. Je craignais aussi qu'au cas où tu m'épouserais par dépit, nous payions le prix fort. Mais je n'ai pas appelé Jock à la rescousse. Je l'ai appelé pour qu'il te vienne en aide, à toi, avant que tu ne t'engages de façon définitive. Et j'ai eu raison, non ? Ce matin, on aurait dit que tu te rendais à ton exécution et non à ton mariage.

— C'est faux !

— J'avais l'impression que tu serrais les dents pour traverser l'épreuve parce que tu pensais qu'il était trop tard pour faire machine arrière. Je projetais de te dire en chemin que Jock était attendu, que tu pouvais encore changer d'avis. Puis tout a paru s'accélérer et, soudain, il ne me restait plus assez de temps. Les gens venaient te parler, Jock n'arrivait pas, le juge était prêt…

Il s'arrêta et poussa un profond soupir.

— Je voulais plus que tout au monde t'épouser, Kathryn. Mais seulement à condition que ce soit ton plus cher souhait à toi aussi. Il est donc encore temps…

— Je vais aller dire au juge que nous sommes prêts, dit doucement Kathryn.

Jonah se figea.

— Katie ?

— Une belle paire de masochistes, voilà ce que nous sommes ! Tu m'accompagnes pour me venir en aide tout en sachant que tu vas horriblement souffrir et moi, je préfère mourir de chagrin plutôt que de reconnaître que je me suis éprise de toi.

Elle se jeta soudain dans ses bras et les mots devinrent inutiles.

Quelqu'un toussota. Quand ils levèrent les

yeux, ils découvrirent le juge qui les observait du seuil de la pièce, le sourire aux lèvres.

— Si nous y allions ? suggéra-t-il.

Dans la salle du tribunal, Larry Benson racontait à Jock l'accident qui avait introduit Jonah et Kathryn dans la vie locale.

— Il a fallu découper la portière pour les sortir de là. Heureusement, j'avais affûté mon couteau le matin même !

Le visage de Jock exprima la stupéfaction. Puis, suspectant un canular, il se hâta de changer de sujet.

— Je n'ai pas bien vu la ville — comment s'appelle-t-elle déjà ? —,mais le site me paraît bon pour y implanter un Katie Mae. Si ça vous intéresse…

Pendant ce temps, Jonah avait rejoint Brian.

— Je crois que tu as quelque chose pour moi.

Brian détacha son regard de Kathryn qui se tenait un peu en retrait, le temps de tirer de sa poche un écrin de velours.

— Les bagues de ma mère, dit Jonah. J'ai pensé qu'elles feraient l'affaire dans l'immédiat. Plus tard, nous nous mettrons en quête d'un bijou qui te convienne mieux.

— Ce sont celles-ci que je veux, murmura-t-elle sans même les regarder.

Jonah l'embrassa.

— Allons, allons, dit le juge. Patientez encore quelques instants !

— Je croyais qu'il n'y avait pas anguille sous roche, souffla Brian à Jonah.

— Tu m'as demandé si elle était blonde, brune ou rousse et je t'ai juste répondu que tu n'y étais pas du tout, lui rappela ce dernier.

— Hum ! fit Brian, je me souviendrai de cette pirouette.

— Ne t'inquiète pas : tu n'auras plus l'occasion de me poser cette question. Mais jc n'ai pas fait les présentations. Katie, voici Brian, le génie administratif grâce auquel l'entreprise fonctionne comme sur des roulettes. A propos, que fais-tu ici ? Je t'avais demandé de confier la boîte et mon passeport au pilote, pas de venir en personne !

— J'ai pensé que nous en profiterions pour parler de Hodges.

— Plus tard ! Demande plutôt à ton ami Jock

s'il te sera possible de repartir avec lui, parce que je compte garder l'avion.

— Le carrosse de Cendrillon se transforme en jet ? plaisanta Kathryn.

— Un jet loin d'être aussi sophistiqué que celui de ton père !

— Où comptez-vous aller ? demanda Brian. Hodges va avoir une attaque si tu ne te montres pas. Il prétend que nos actions vont chuter si Wall Street découvre ton manque de sérieux.

— Nous allons retourner au motel empaqueter les souvenirs de Katie et capturer notre chat. Ensuite, nous partirons pour une destination choisie par ma chère épouse. Cela dit, si tu voulais bien faire un petit détour par Minneapolis, Katie, afin que je puisse apaiser mon conseil d'administration…

Kathryn posa un doigt sur les lèvres de Jonah.

— Tout ce que tu voudras, chéri, murmura-t-elle en souriant. Si tu me le demandais, je serais même prête à traverser le pays avec toi dans un vieux pick-up !

# 15 octobre 2008

**LA PLUS HEUREUSE DES MAMANS**, de Nicola Marsh • n°2185

 Productrice à la télévision, Kirsten, trentenaire, mène avec brio une carrière prometteuse. C'est alors qu'elle commet une terrible erreur : elle succombe, le temps d'une nuit, au charme d'un séduisant inconnu. Un inconnu dont elle tombe enceinte, avant d'apprendre qu'il n'est autre que son nouveau patron !

**L'ÉPOUSE DU CHEIKH**, de Teresa Southwick • n°2186

 Pour éviter à sa sœur jumelle, qu'elle adore, d'avoir à honorer la promesse de mariage faite jadis en son nom à Malik Hourani, prince du lointain royaume de Bha'khar, Beth court le risque inouï de se faire passer pour elle auprès du souverain. Juste le temps de le convaincre de renoncer à cette union...

**UN PARI SUR L'AMOUR**, de Shirley Jump • n°2187

Echaudée par l'échec de son premier mariage, Callie se méfie des hommes, et hésite à s'engager de nouveau. Jusqu'à ce qu'elle fasse la connaissance de Harry Faulkner, dont le charme sexy a bientôt raison de sa prudence. Peu après pourtant, la jeune femme s'aperçoit que leur rencontre ne doit rien au hasard, et qu'elle a été l'enjeu d'un pari...

**L'AMANT ITALIEN**, de Lucy Gordon • n°2188

Bien qu'elle soit très amoureuse de Francesco, son fiancé, Celia ne supporte plus ses manières possessives, et décide de s'offrir quelques jours de liberté pour faire le point sur leur relation. C'est le moment que choisit Francesco - qui l'a suivie à son insu - pour lui faire un aveu des plus surprenants...

Attention, numérotation des livres pour le Canada différente : n° 907 au 910.

Composé et édité par les
*éditions* Harlequin
Achevé d'imprimer en août 2008

BUSSIÈRE
GROUPE CPI

à Saint-Amand-Montrond (Cher)
Dépôt légal : septembre 2008
N° d'imprimeur : 81249 — N° d'éditeur : 13817

*Imprimé en France*